COMPRENDRE LE MONDE NOUVEAU

Regard africain

Les Afriques de demain

Collection dirigée par Driss Guerraoui et Alioune Sall

La collection « Les Afriques de demain » vise à promouvoir les publications axées sur l'analyse des transformations que connait l'Afrique pour en dégager les inflexions majeures et les ruptures fondamentales, identifier les facteurs et les acteurs du changement, et mettre en exergue la prospective des stratégies de développement pouvant permettre aux États et aux peuples du continent de lutter contre les nouvelles générations d'insécurité, de risques et de guerres.

Le champ d'action de la collection englobe les questions économiques, sociétales et géostratégiques, les sciences politiques, l'histoire et les problématiques de nature culturelle et civilisationnelle.

Déjà parus

Claudio Ruff, *Histoire, culture et avenir de l'Afrique*, 2025.

Benyounes Rahouti, *L'intelligence économique dans un monde VUCA*. Incertitude et insécurité des organisations, 2024.

Driss Guerraoui (dir.), *L'intelligence économique en Afrique et dans le monde. État des lieux et nouveaux champs, 2024.*

Vidal I. Ibarra-Puig, *Les relations économiques entre l'Afrique, l'Amérique latine et les Caraïbes. Histoire récente et perspectives dans un monde en crise*, 2024.

Xavier Aurégan et Thierry Pairault (dir.), *L'Afrique et ses présences chinoises*, 2024.

Driss Guerraoui, *L'enseignement et la recherche en sciences économiques dans les universités publiques marocaines*, 2024.

Driss Guerraoui (dir.), *L'Afrique de l'innovation. Politiques nationales et partenariats panafricains*, 2023.

Driss Guerraoui (dir.), *Marocains et Portugais. Regards croisés*, 2023.

Driss Guerraoui

COMPRENDRE LE MONDE NOUVEAU

Regard africain

الجامعة المفتوحة للداخلة
UNIVERSITÉ OUVERTE DE DAKHLA

L'Harmattan

5-7, rue de l'École-Polytechnique - 75005 Paris
www.editions-harmattan.fr
ISBN : 978-2-336-55893-6
EAN : 9782336558936

https://www.uodakhla.org
Dépôt légal : 2025MO3126
ISBN : 978-9920-23-795-6

AVANT-PROPOS

Le Présent ouvrage réuni une sélection de conférences que j'ai prononcées lors des sessions de l'Académie du Royaume du Maroc et auprès de l'Académie des Sciences du Portugal, d'allocutions d'investiture comme nouveau membre de l'Académie Royale Européenne des Doctors d'Espagne et de l'Académie du Royaume du Maroc, de contributions aux travaux du Conseil International d'Action Sociale et du Conseil Economique et Social des Nations Unies et d'interventions auprès d'institutions académiques nationales (Collège Royal de l'Enseignement Militaire Supérieur et Université Ouverte de Dakhla) et Continentales (Forum des Associations Africaines d'Intelligence Economique).

Ces conférences, allocutions et interventions couvrent la période allant de 2020 à 2025 et ont pour fil directeur un regain africain sur des questions économiques et sociales majeures à l'heure des transformations profondes que connait le Monde nouveau.

INTRODUCTION GÉNÉRALE

L'observation de l'évolution des tensions, des guerres, des conflits et des crises depuis les quinze dernières années révèle que le Monde est à l'aube d'une nouvelle ère.

Les traits majeurs de cette ère résident dans une tendance à l'exacerbation de l'éclatement et du fractionnement de tout le système mondial, sur un fond d'aggravation de l'instabilité, de l'imprévisibilité et des incertitudes, dont les conséquences sont l'émergence de nouvelles insécurités, notamment énergétiques, alimentaires, hydriques et sanitaires et le développement d'une nouvelle génération de guerres.

Ces réalités du Monde nouveau se complexifient du fait d'un contexte international marqué par les difficultés réelles d'un pilotage institutionnel unifié, coordonné, concerté et partagé de la gouvernance mondiale des crises et des conflits par le système des Nations Unies et les organisations continentales et internationales dédiées à cette gouvernance.

C'est dans ce contexte que nous assistons à une mondialisation qui se régionalise, portée par une remise en cause des interdépendances qui ont cimenté le processus de globalisation des échanges entres les économies nationales durant tout le XXe siècle, et par le prima accordé à la recherche par les États de leurs souverainetés à la fois économiques, alimentaires, sanitaire, énergétique et militaire. Parallèlement à ces tendances, nous observons, également, la recherche soutenue par ces États de nouvelles alliances géostratégiques, géoéconomiques et géopolitiques par les anciennes puissances dominantes du XXe, États-Unis et Europe notamment, et les nouvelles émergentes, en particulier la Chine et la Russie. Ces nouvelles alliances sont en train de donner naissance à de nouveaux blocs, à des chocs des ambitions d'un genre nouveau et à l'éclosion de formes atypiques d'alignement et de non-alignement, construit autour de positions à géométries variables, autour de la dichotomie ni USA ni Russie, ou ni Chine, ni Europe et ce en fonction des intérêts dictés par la conjoncture et surtout par le degré et la nature de la dépendance de chaque nouveau bloc et des pays concernés de leur environnement géographique, géoéconomique et géostratégique.

Dans ce cadre, force est de constater le déclassement graduel, continu et réel de l'Occident, un Occident qui commence à douter sur lui-même et sur son avenir, avec une croissance et des démocraties qui s'essoufflent.

Nous observons, par ailleurs, et entre autres, un continent africain qui se réveille, mais qui ne mesure encore pas à sa juste valeur les cartes que lui procure ses avantages comparatifs intrinsèques, avantages qui peuvent l'ériger non seulement en tant que véritable locomotive de la nouvelle économie mondiale, mais de marché de l'avenir, de nouveau pôle de la croissance mondiale et surtout d'espace privilégié des grandes transitions du futur.

Cependant, cette Afrique demeure minée par les guerres, les conflits ethniques et religieux, une Afrique rongée par l'instabilité politique, la pauvreté, la faim, les pandémies et le chômage, notamment des jeunes et des femmes. Sur le plan de son développement, c'est, également, une Afrique encore faiblement industrialisée, sous-bancarisée, enclavée et faiblement connectée sur le plan digital, et encore plus dramatique, une Afrique orpheline d'élites visionnaires, à l'écoute du temps de leurs peuples.

Si les conséquences de toutes ses réalités du Monde nouveau sur la paix, la stabilité et la sécurité humaine globale sont nombreuses, quatre paraissent très préjudiciables pour les équilibres mondiaux futurs :

- L'émergence et le développement de nouvelles générations de guerre, de risques majeurs et d'insécurités, qui sont en train d'impulser des irréversibilités et des situations inédites sur les plans économique, social et environnemental plongeant les États et leurs populations dans l'incertain ;
- Les retards que commencent d'ores et déjà à prendre les principaux Agendas mondiaux et les transitions majeures qui en découlent, qu'il s'agisse du climat, de la lutte contre l'extrême pauvreté, la faim, les nouvelles pandémies ou la transition énergétique, numérique, et économique et le respect les droits humains fondamentaux politiques, sociaux et culturels et ceux attenants au droit de vivre dans un environnement saint ;
- L'aggravation du processus de déstabilisation de la gouvernance mondiale des crises, des guerres et des conflits sur un fond d'affaiblissement du système des Nations Unies, de décomposition du multilatéralisme, et du retour en force de la loi du plus fort pour régler les différends et les conflits entre les États ;
- La cinquième conséquence, enfin, réside dans des perspectives économiques incertaines sur un fond, d'un côté, d'aggravation des inégalités sociales, territoriales et de genre et des fractures numériques, aussi bien entre les Nations qu'à l'intérieur des Nations et de l'autre, de déficit d'acceptabilité politique, par de larges franges de la société, des réformes d'austérité préconisées et des

limites imposées de plus en plus aux libertés individuelles et collectives.

Le présent ouvrage tente de mettre en exergue les éléments saillants de toutes ces réalités. Pour ce faire, il en examine, à partir d'un regard africain, les manifestations majeures à trois niveaux :

– L'Afrique et le Monde nouveau ;

– La nouvelle question sociale ;

– La démocratie, la culture et le développement.

I
L'AFRIQUE ET LE MONDE NOUVEAU

LE MONDE NOUVEAU ET LES GUERRES DE LA PENSÉE STRATÉGIQUE

Les transformations que connaît le Monde en cette décade du XXIe siècle montrent que la situation actuelle porte en elle les prémisses de guerres d'un genre nouveau, dont l'une des armes les plus redoutables est celle de la pensée stratégique. Cette guerre, qui s'appuie sur un ensemble de leviers, œuvres du génie et de l'intelligence stratégique des Nations, a comme objectif de renforcer la capacité de veille, d'anticipation et d'accès à l'information par les acteurs économiques, politiques, les territoires et les secteurs stratégiques sensibles de ces Nations. Il s'agit par cette approche de développer un écosystème national de pensée stratégique capable de mieux connaitre les plans de l'ennemi potentiel ou du concurrent légitime dans le dessein de changer les règles du jeu de la guerre, y compris économique, pour l'amener à commettre des erreurs fatales, ayant de graves répercussions sur l'issue de la guerre, induisant sa perte des batailles qu'il mène et conduisant à son affaiblissement par la destruction de ses avantages comparatifs et compétitifs sur les plans humain, financier et militaire.

Les principales tendances

Partant de ce constat et dans cette perspective, les guerres actuelles entre l'Occident, la Chine, la Russie et le reste du monde non occidental révèlent trois tendances principales au niveau de la pensée stratégique.

La première tendance est celle de la permanence des avancées réalisées par la pensée stratégique américaine et de la rénovation continue et soutenue de deux composantes essentielles de cette pensée. D'un côté, l'exploitation intelligente des tensions et des conflits en tant que moyens garantissant la reproduction dans le temps de l'hégémonie des États-Unis sur le monde, et de l'autre, l'usage de la guerre comme réponse efficace aux crises économiques cycliques et comme garant de la pérennité de leur avantage stratégique et géopolitique.

Pour atteindre ces deux objectifs, les États-Unis s'appuient sur deux piliers fondamentaux. Le premier pilier réside dans l'existence d'un complexe militaro-industriel fort, en restructuration permanente, en modernisation continue et en sophistication-complexification soutenue. Le deuxième pilier a trait au soutien public volontariste conséquent de plus en plus important de l'écosystème national d'innovation en vue de renforcer son développement en matière de promotion de la recherche scientifique et technologique dans les domaines vitaux pour le présent et l'avenir de la Nouvelle Économie Mondiale, qu'il s'agit de l'alimentation, des médicaments, de l'énergie, des technologies de l'information et de la communication, du digital, de l'intelligence artificielle, de la biotechnologie, des sciences spatiales ou des nouvelles générations d'armement.

L'ensemble de ces piliers confortent les avantages comparatifs, compétitifs et stratégiques des États-Unis et leur confère encore un statut de puissance mondiale de premier rang dans le jeu complexe des relations internationales actuelles, malgré le recul de leur poids, notamment économique dans le Monde.

Si cette avancée stratégique est fondée sur la théorie de « la ruine de l'ennemi potentiel » (Al Kharab), les politiques publiques qui en découlent visent essentiellement à affaiblir la Chine et la Russie, considérées par les États-Unis comme leurs véritables concurrents dans le Monde nouveau. Ces politiques publiques entendent, également, essaimer une dynamique de dissuasion à géométrie variable et à objectifs multiples dans le cadre des rapports des États-Unis avec le reste des pays et régions du monde.

La deuxième tendance est celle du déclassement relatif de la pensée stratégique européenne, dont l'histoire a montré et démontré qu'elle s'est généralement trompée dans l'identification des véritables ennemis de l'Europe. La concentration actuelle de l'effort financier et militaire sur la Russie en tant qu'ennemi principal de l'Europe occidentale peut être considérée, toute proportion gardée, comme un péché géopolitique et géostratégique, qui coûtera cher à l'Europe à moyen et long termes à plusieurs niveaux et à l'échelle tout aussi bien régionale qu'internationale. Ce coût sera d'autant plus élevé qu'il est fort à parier que le conflit actuel risque de s'installer dans la durée, voire de s'enliser, même en cas de signature d'un accord de paix, mettant ainsi l'Europe et la Russie dans une véritable guerre d'usure, dont l'issue diplomatique aura de très sérieux problèmes pour atteindre un compromis territorial hypothéquant son acceptabilité politique par toutes les parties prenantes au conflit, y compris les membres non européens de l'alliance Atlantique.

Cependant, et aussi paradoxale que cela puisse paraitre, c'est cette même guerre Ukraine-Russie qui est en train de provoquer en Europe un véritable électrochoc géopolitique à plus d'un titre. L'un des résultats de cet électrochoc est que les soubresauts de la situation actuelle sont en train de soulever auprès des instances européennes, de ses dirigeants, ses élites et auprès de leurs peuples la nécessité de s'inscrire dans une vision géostratégique dont l'essence et le cœur doit être d'un côté la recherche de l'indépendance politique, de la souveraineté économique et militaire et de l'autonomie stratégique et de l'autre le développement de nouvelles alliances en dehors de l'Europe et des États-Unis.

Dans cette perspective, une autre question géostratégique importante se pose. Est-ce que l'horizon géopolitique l'Europe ne résiderait-il pas dans l'édification d'une Grande Zone euro — africaine et Euro-Arabe, parce que la démographie, la géographie, l'histoire, les exigences de la sécurité et les impératifs dictés par les intérêts économiques mutuels érigent cette zone en véritable « poumon » futur de l'Europe ?

Dès lors, l'espace euro-méditerranéen, avec ses prolongements africains et arabes, ne devrait-il pas être une nouvelle priorité géostratégique de l'Europe ?

Auquel cas, ne faudrait-il pas que l'Europe s'engage réellement et dans les faits à promouvoir un partenariat de nouvelle génération à partir d'une grande zone Afrique-Europe-Monde Arabe à bâtir ?

Si tel est le choix politique futur de l'Europe, l'alliance avec l'Afrique Atlantique, horizon géostratégique portée par le Maroc depuis 2023, ne serait-il pas incontournable parce que vital pour la construction future de ce grand espace du futur ?

Dans cette perspective, il est fort à parier que la construction de cette zone pèsera dans le jeu complexe des relations internationales du Monde nouveau qui se profile à l'horizon.

La troisième tendance se traduit par l'apparition de deux phénomènes concomitants. D'une part, l'éclosion d'une conscience universelle citoyenne dans le Monde non occidental fondée sur une croyance grandissante et une conviction affirmée que le Monde d'aujourd'hui est structuré autour d'un pôle « ennemi » des peuples, qui est l'Occident. Et d'autre part, le développement d'un Monde multipolaire sur le plan civilisationnel, culturel, cultuel, économique et militaire, où les élites dirigeantes et les citoyens sont désormais de plus en plus habités par la ferme volonté de se libérer des différentes formes d'exploitation, d'oppression, d'aliénation, de domination et de dépendance vis-à-vis de l'Occident, l'Europe et les États-Unis en particulier.

Les impacts majeurs

Sur le plan de la pensée stratégique, cette prise de conscience montante a commencé à impulser deux évolutions à l'échelle des pays non occidentaux. D'un côté la recherche de l'autonomie par le renforcement des capacités endogènes de développement et d'autre part la promotion de nouvelles d'alliances géostratégiques. L'objectif poursuivi par ces pays dans le cadre de ces choix est de préserver leurs intérêts nationaux, réaliser leur souveraineté économique et militaire, atteindre leur autonomie stratégique, pour assurer ainsi leur sécurité humaine globale.

Toutes ces tendances montrent que nous sommes devant des transformations qualitatives notoires au niveau de la pensée stratégique qui sont en train de conduire à l'émergence de nouveaux pôles régionaux portés par de nouvelles alliances fondées sur des formes de coopération, de partenariat et d'intégration leur correspondant. Le ciment de cette nouvelle pensée stratégique est la défense commune des intérêts économiques, militaires et sécuritaires dans le Monde nouveau en cours de structuration.

Ces réalités vont nécessairement conduire à moyen terme à l'accélération de la réforme du système des Nations Unies, notamment la refonte de la composition du Conseil de sécurité. Elles influenceront très probablement, et de ce fait, le rythme de réalisation des principaux Agendas mondiaux en matière d'Objectifs de Développement Durable, qu'ils s'agissent de ceux liés à la transition climatique et énergétique, ou de ceux attenants aux grandes questions internationales, telles que les migrations, la sécurité alimentaire, la lutte contre les pandémies, l'extrême pauvreté, le crime organisé, l'extrémisme et le terrorisme.

Si ces transformations majeures engendraient un changement radical dans l'équilibre des forces entre les anciennes et les nouvelles puissances mondiales, elles pourraient, également, accélérer le règlement de certains conflits régionaux, notamment ceux qui perdurent depuis plus de cinq décennies, et à leur tête le conflit israélo-palestinien.

Dans ce sens, l'enjeu majeur de l'émergence de ce Monde nouveau restera celui de la capacité de la communauté internationale à voir se développer des formes volontaristes, coordonnées et concertées de multilatéralismes et de coopération capables d'apporter des réponses innovantes à la crise de la gouvernance mondiale des crises, des conflits et des guerres. Une telle perspective indispensable pour la paix et la stabilité des relations internationales exige, cependant, une conviction partagée par l'ensemble des États d'ériger le dialogue comme fondement du règlement des différends selon une approche fondée sur la responsabilité collective et la solidarité.

Ce sont ces principes directeurs de la nouvelle gouvernance mondiale qui pourraient permettre à tous les États membres de l'Organisation des Nations Unies de contribuer à la réalisation de la sécurité humaine globale. Mais à leur charge de réunir collectivement les conditions politiques nécessaires à une régulation positive des causes profondes qui ont installé le Monde du XXIe siècle dans l'incertain et l'instabilité permanente et in fine qui risquent de conduire à l'autodestruction de tout l'écosystème planétaire.

Par ailleurs, parallèlement à ces tendances émergentes, les observateurs s'interrogent sur la nature des conflits idéologiques qui découleront des transformations en cours impulsées par les impacts divers des nouvelles guerres de la pensée stratégique.

Dit autrement, va-t-on assister à un changement dans la nature de ces conflits idéologiques ? Si la réponse est affirmative, va-t-on passer d'un conflit entre le capitalisme et le communisme comme ce fut le cas au sortir de la deuxième guerre mondiale en 1945, à un conflit entre le libéralisme et le socialisme après la chute du mur de Berlin en 1989, à un conflit de religions et de civilisations suite aux attentats terroristes qu'ont connus les États-Unis le 11 septembre 2001, ou bien à un conflit entre la gestion démocratique et la gestion dictatoriale et autoritariste de la société, comme c'est le cas du débat idéologique actuel ?

Toutefois, quelle que soit la véracité de tous ces conflits, la réalité du Monde nouveau dissimule un autre conflit encore plus déterminant, voire décisif pour le destin commun de la communauté internationale, parce qu'il est de nature existentielle, c'est celui du conflit entre l'Homme et la Nature. Ce conflit est le plus redoutable, car il menace la sécurité humaine dans son ensemble, tout en plaçant le système planétaire face à un dilemme crucial, qui est celui de changer ou régresser au risque de périr.

Mais, ce qui est spécifique à ce conflit c'est que ces impacts sont en train de produire des guerres d'un genre nouveau, comme celles de l'énergie, des médicaments, de l'alimentation, de l'eau, de l'information, de l'image, de la connaissance et de l'espace, pour ne citer que celles les plus préjudiciables pour le quotidien des populations dans toutes les régions du Monde.

Dès lors, il s'avère urgent que la communauté internationale prenne appui sur l'intelligence, le génie et le comportement citoyen de toutes ses composantes (États, Collectivités territoriales, entreprises, sociétés civiles, savants, élites culturelles et politiques, organisations régionales et internationales dédiées au développement, à la paix et aux changements climatiques) pour prendre la mesure de ce défi humain planétaire. Pour ce faire, ces composantes agissantes se doivent d'inscrire, de façon coordonnée, leurs actions et programmes dans le cadre d'une gouvernance mondiale responsable et solidaire, dont la réussite dépendra de la volonté politique des États de réunir les conditions d'un pilotage institutionnel unifié réussi des guerres, des conflits, des crises et des défis majeurs de notre temps.

Cette perspective implique, cependant, que les États, de par le monde, aient la volonté réelle, la vision clairvoyante et les stratégies appropriées de mobilisation de leurs élites politiques, économiques, administratives et scientifiques et de leurs citoyens pour faire du Monde nouveau celui de la paix, de la prospérité partagée, de la transition climatique réussie et de la sécurité humaine globale.

* *Intervention sur la géoéconomie au Collège Royal de l'Enseignement Militaire Supérieure, janvier 2025, Kénitra-Maroc*

LE FUTUR AFRICAIN DE L'EUROPE
REPÈRES POUR L'ANALYSE
ET PISTES POUR L'ACTION
LE CAS DU MAROC ET DE L'ESPAGNE

Examiner le futur Africain de l'Europe nécessite de répondre à trois interrogations :

- Quels sont les préalables pour penser l'avenir de l'Afrique et de l'Europe dans un Monde nouveau incertain ?
- Pourquoi l'Afrique représente-t-elle un avenir possible pour l'Europe et réciproquement ? ;
- Enfin, quel partenariat entre le Maroc et l'Espagne dans le cadre d'une Grande Zone Afrique-Europe-Monde Arabe à bâtir ?

Penser l'avenir de l'Afrique et de l'Europe dans un Monde nouveau incertain : les préalables

Parler de l'Afrique comme avenir de l'Europe et réciproquement pose une question fondamentale. Cette question est la suivante : peut-on aujourd'hui penser l'avenir de l'Afrique et de l'Europe, et agir sur le futur de leur destin commun dans un Monde incertain, comme celui dans lequel la crise profonde générée par la pandémie de la Covid19 nous installe ?

Car, durant et avec cette crise, tout a changé et est en train de changer de façon à la fois rapide et structurelle en Afrique et en Europe, comme dans toutes les autres régions du Monde.

Ce changement touche toutes les dimensions essentielles des sociétés Africaines et Européennes. La démographie certes, mais aussi l'économique, le politique, le social, le culturel, la donne militaire, sécuritaire et géostratégique, et de plus en plus les valeurs, la cohésion sociétale et le vivre ensemble, et ce dans des contextes culturels et civilisationnels en quête du sens de l'existence.

Aussi, sommes-nous appelés à repenser notre vision et notre gouvernance de toutes les problématiques du développement, en changeant radicalement de paradigme. Ce changement devrait, cependant, être fondé sur la notion de rupture avec les approches du passé en matière d'analyse de l'état et de l'évolution économique, sociale, institutionnelle et culturelle de nos sociétés.

La raison principale de cette rupture est que ces approches sont restées marquées par une vision et une gouvernance des économies et des sociétés héritées de la situation du Monde du XXe siècle. Or, cette vision et cette gouvernance ne correspondent plus ni à la réalité des défis de l'Afrique et de l'Europe du XXIe siècle, ni aux problématiques de notre temps, ni aux besoins et aspirations des nouvelles générations de citoyens.

Mais penser autrement l'avenir des rapports entre l'Afrique et l'Europe pose une autre question hautement stratégique. Cette question est celle de savoir dans quelles sociétés les peuples d'Afrique et d'Europe veulent-ils vivre demain ? Quels avenirs possibles ces sociétés veulent-elles et peuvent-elles construire ensemble pour leurs peuples ? Et quel socle commun de valeurs entendent-elles promouvoir pour renforcer le lien social et le vivre ensemble à la fois au sein de chaque pays et à l'échelle de la Grande Zone Afrique-Europe-Monde Arabe à bâtir pour l'avenir ?

Ces problématiques fondamentales sont au cœur de toute la dynamique sociétale qui caractérise les peuples de cette zone, qui marquent les transformations qu'ils connaissent, et qui caractérisent toutes les conflictualités qui les traversent.

L'avenir possible de cette Grande Zone dépendra demain des réponses qui seront apportées à ces problématiques géostratégiques cruciales, et conditionneront demain les équilibres, y compris de nature civilisationnelle, au sein des États et des Sociétés de cette zone, et corrélativement définira les chances de réussite d'une nouvelle génération d'intégration dans une mondialisation de plus en plus régionalisée.

À ce niveau, une autre question essentielle se pose.

Pourquoi l'Afrique représente-t-elle un avenir possible pour l'Europe et réciproquement ?

Il y plusieurs raisons qui justifient l'impérative construction d'un destin commun entre l'Afrique et l'Europe : i) La nouvelle géostratégie mondiale, ii) la donne démographique et les réalités futures des mouvements migratoires, iii) les avantages comparatifs économiques et naturels de l'Afrique, iv) les défis partagés de la transition climatique, énergétique, et numérique,v) Et les enjeux de la gestion des nouvelles générations de crises et de guerres.

1. La nouvelle géostratégie mondiale

Dans le cadre de la géostratégie mondiale du XXIe siècle, il est une vérité de la palissade d'affirmer que les chances futures du développement appartiennent aux Nations qui ont su et pu s'inscrire dans des dynamiques portées par de grands ensembles régionaux. Car, si dans ce cadre aucun pays ni aucune zone, ne pourra s'en sortir seul. Seule leur appartenance à une grande zone de co-développement permettra à ces pays et régions d'accéder à un marché plus vaste, garantir une sécurité globale, bénéficier d'une défense collective, réaliser des économies d'échelle dans de nombreux domaines exigeants des moyens humains et financiers importants, renforcer sa présence dans le monde, assoir son rayonnement international, accroitre son pouvoir de marchandage, de négociation et de plaidoyer, appartenir à un espace culturel et à une aire civilisationnelle commune et s'assurer une communauté de destin dans un monde incertain.

Conscients des enjeux de cette dynamique d'intégration macro-régionale, certains pays et certaines régions sont allés beaucoup plus loin. C'est en particulier le cas de la Chine avec la signature en novembre 2020 du Partenariat Economique Régional Global, qui réunit les pays de la grande zone Asie-Pacifique allant de la Chine à l'Australie et la Nouvelle-Zélande en passant par l'Inde, le Japon et la Corée du Sud, soit le tiers de la population mondiale et de la richesse produite dans le monde.

Aussi, la mondialisation régionalisée est-elle devenue aujourd'hui un choix stratégique incontournable opéré par toutes les grandes puissances économiques anciennes et émergentes, ainsi que tous les ensembles régionaux, en tant que réponse à la complexité de la gouvernance des grandes problématiques du développement dans un nouveau système mondial où la compétition a changé de nature et où émergent et se développent des insécurités, des guerres et des risques d'un genre nouveau.

Face à ces réalités, et dans le contexte de la géoéconomie du Monde poste Covid19, ni l'Afrique et ni l'Europe ne pourront, de ce fait, s'en sortir seules. D'où l'importance de construire une nouvelle génération d'intégration régionale en phase avec les défis que leur lance un système mondial de plus en plus incertain sur un fond d'une mondialisation de plus en plus régionalisée.

Dans cette perspective, l'histoire commune, la proximité géographique, les impératifs de la grande transformation des modèles économiques, les exigences de la solidarité, de la stabilité, de la sécurité, de la gestion maitrisée des mouvements de populations, et la coordination de la lutte contre les radicalismes, le terrorisme et l'économie du crime dessinent un destin commun à l'Afrique et l'Europe, leur suggérant d'inaugurer des rapports qui dépassent les formes traditionnelles actuelles de partenariat. Ce sont les considérations majeures dictées par la nouvelle géostratégie mondiale qui dessineront ce destin commun futur de l'Afrique et de l'Europe.

L'évolution différenciée de la donne démographique et les réalités futures des mouvements migratoires confirment le bien-fondé de cette raison majeure.

2. La donne démographique et les réalités futures des mouvements migratoires

La population mondiale atteindrait à l'horizon 2050 environ 9,6 milliards d'habitants contre 7,3 milliards d'habitants en 2015. Elle va continuer de croître à l'horizon 2100 pour atteindre 11,2 milliards d'habitants. L'Afrique va occuper une place importante dans cette nouvelle transformation géographique de la population mondiale. En effet, évaluée en 2015 à 1,186 milliard d'habitants, soit 16,1 % de la population mondiale, l'Afrique verra le volume de sa population atteindre les 39,1 % de la population mondiale, avec 4,387 milliards d'habitants en 2100. Dits autrement, en l'an 2100 sur 4 nouvelles naissances dans le Monde, 3 seront africaines.

À l'opposé, la population de l'Europe passera de 738 en 2015 à 646 millions en 2100, soit moins que le total de la population du Nigeria, évaluée à cet horizon à 752 millions d'habitants contre 182 millions en 2015.

Tableau 1 : Évolution de la répartition de la population mondiale par région entre 2000 et 2100 en millions d'habitants

Région	2000	2015	2050	2100
Asie	3714	4393	5267	4889
Afrique	814	1186	2478	4387
Europe	726	738	707	646
Amérique latine	526	634	784	721
Amérique Nord	314	358	433	500
Océanie	31	39	57	71
Monde	6126	7349	9725	11213

Source : United Nations, The 2015 Revision, Population Division, Department of Economic and Social Affairs, World population prospects

Cette évolution différenciée fera que la population d'Afrique va plus que tripler entre 2020 et 2100, alors que celle de l'Europe enregistrera une baisse de 15,7 %.

Au vu de ce qui précède, force est de constater que la dénatalité et le vieillissement des populations que connaitra l'Europe ne pourront être compensés que par les apports de populations disposant d'une aubaine démographique à fort composant de jeunes, comme il sera le cas de l'Afrique.

En effet, à ce niveau, les prévisions montrent que « les actifs (en Europe) ne seront plus que de 242 millions en 2050, soit 90 millions de moins qu'aujourd'hui. Dès lors, elle aura besoin de 30 millions d'immigrés d'ici trente ans pour équilibrer la part des actifs par rapport aux non-actifs »[1].

1. Catherine Wihlol de Wenden, 2021, Atlas des migrations, de nouvelles solidarites à construire, Éditions Autrement, Paris, p29

Cette donne aura des impacts certains sur les réalités futures des mouvements migratoires en direction du continent Européen. Aussi, si l'Europe a reçu en 2020 environ 30 % du total des migrants dans le monde[2], il est dans l'ordre du probable que cette part puisse atteindre les 40 % en 2050.

Compte tenu de toutes ces tendances, il est fort à parier que les mouvements migratoires en direction du continent Européen seront certainement de plus en plus importantes sur le plan de leur volume, ils prendront de nouveaux visages, et auront des impacts réels sur les plans de la géoéconomie, la géopolitique et la géostratégie des relations entre l'Europe et le reste du Monde.

Sa situation géographique aux confins de la Grande Europe-Afrique-Monde Arabe, fera que le continent Européen sera plus exposé que d'autres continents aux conséquences imprévisibles des mouvements migratoires du futur. Ces mouvements vont poser aux populations de cette zone des problématiques cruciales en matière de respect des droits humains fondamentaux, du vivre ensemble, de cohésion sociale, de stabilité, de prospérité partagée et corrélativement de sécurité globale dans un monde incertain.

Se pose alors une autre question fondamentale. Comment l'Europe et l'Afrique pourront valoriser leurs avantages comparatifs économiques et naturels mutuels au service d'une gouvernance coordonnée, responsable, efficiente, et solidaire de cette donne démographique et des mouvements migratoires futurs qui en découlent ?

---

2. Idem, p28

3. Les avantages comparatifs économiques et naturels de l'Afrique

Avec une population, qui atteindra 2,478 milliards en 2050 et 4 387 en 2100, soit respectivement 25 % et 39,1 % du total de la population mondiale, vivant sur un continent composé de 54 États, avec une superficie de 30 221 532 km², soit 20,1 % de la superficie mondiale, l'Afrique sera l'un des plus importants marchés de consommation dans le monde et le nouveau foyer de la croissance mondiale de demain.

Par ailleurs, selon l'Organisation Mondiale pour l'Agriculture et l'Alimentation (FAO), l'Afrique bénéficie de ressources naturelles abondantes, notamment des terres à usage agricole représentant 42,2 % de la superficie totale de l'Afrique subsaharienne (43,5 % en Europe), de forêts rentrant pour 25,7 % du territoire (38 % pour l'Europe), de fonds marins et sous-marins riches en ressources halieutiques, et de gisements importants de biodiversité animale et végétale.

L'Afrique dispose, également, de ressources minières représentant plus de 30 % des réserves mondiales, dont 90 % pour le platine, 60 % pour le cobalt, 40 % pour l'or, en plus du cuivre, du fer, de la bauxite, du zinc, de l'uranium, des pierres précieuses et de métaux rares comme indispensables pour les industries du futur. Mieux encore, à l'horizon 2100 avec les phosphates du Maroc, l'Afrique sera le seul producteur et exportateur mondial d'acide phosphorique, détenant ainsi l'une des clés de la sécurité alimentaire future du Monde.

Le continent a, aussi, des ressources énergétiques à la fois fossiles (Charbon, gaz et pétrole) et renouvelables en abondance, soit insuffisamment exploitées et valorisées, soit non encore explorées.

Enfin, l'Afrique possède un capital immatériel multiséculaire inégalé, riche et très diversifié dans tous les domaines de la culture, des arts, du patrimoine, de l'artisanat, de l'architecture, de la musique, et des modes vestimentaire et culinaire.

Cependant, malgré ces potentialités, l'Afrique continue à avoir la part la plus faible dans le commerce mondial, évaluée à environ 2 %, elle ne bénéficie que 3 à 5 % des flux d'investissement direct étranger, et elle ne compter que pour 5 % dans le PIB mondial.

Hormis quelques rares exceptions de pays, ces réalités sont aggravées par la conjonction de trois phénomènes : i) un processus de désindustrialisation continue découlant de la faible valorisation du potentiel de richesses dont regorge le continent, ii) Un système bancaire, financier et boursier peu développé, insuffisamment modernisé et faiblement intégré à l'international, iii) et un enclavement du continent du fait de la persistance de déficits importants en matière d'infrastructures routières, autoroutières, de ports, d'aéroports, d'électrification, d'adduction d'eau potable et d'aménagement numérique des territoires africains[3].

La conséquence de cet état de fait c'est un développement du continent non encore endogène et inclusif, qui ne profite pas aux populations africaines, et qui positionne l'Afrique à une place sur la scène internationale qui est loin d'être à la mesure de son poids démographique, de ses potentialités en ressources naturelles, minières, énergétiques, de son patrimoine immatériel et ses apports inestimables à la civilisation humaine.

Dès lors, il est contre la logique de l'histoire, de la proximité géographique et des avantages économiques mutuels que ce sont, entre autres, mais principalement la Chine et la Russie, et non l'Europe, qui sont en train de prendre des places de plus

3. Affaya Noureddine et Guerraoui Driss, 2019, l'Afrique des paradoxes, Éditions la Croisée des chemins-Casablanca et l'Harmattan-Paris

en plus importante dans tous ces domaines stratégiques où l'Afrique connait des déficits et dispose d'un grand potentiel de croissance et développement.

Or, à tous ces niveaux, les avantages comparatifs naturels et économiques communs aux deux continents font que l'Afrique pourra et devra constituer le véritable avenir géoéconomique et géostratégique de l'Europe et réciproquement, particulièrement au regard des défis partagés de la transition climatique, énergétique, et numérique.

4. Les défis partagés de la transition climatique, énergétique, et numérique

L'Afrique et l'Europe font face, en effet, à trois défis majeurs liés à la transition climatique, énergétique et numérique. D'abord parce que le climat, l'énergie et le numérique sont au cœur des choix stratégiques des sociétés africaines et européennes en matière de construction des nouvelles générations de modèles de développement.

Ensuite, en raison des impacts de ces trois défis sur les sociétés et les économies des deux continents en termes de pressions futures, certaines des migrations climatiques, de dépendance énergétique vis-à-vis des sources fossiles, et de fracture numérique aussi bien à l'intérieur des pays des deux continents et qu'entre l'Afrique, l'Europe et le reste du monde.

Le défi de la transition climatique

Selon l'Organisation Mondiale des Migrations, il y aurait en 2050 près de 200 millions de migrants climatiques dans le monde. À cet horizon sur 100 personnes, 45 quitteront leurs terres d'origine à cause des impacts des changements climatiques. À cet horizon 2050 toujours, selon le deuxième rapport du (Groupe d'experts intergouvernemental sur l'évolution du

Climat (GIEC) paru en octobre 2018, l'Afrique qui n'émet que 4,5 % des émissions de gaz à effet de serre, sera la région qui subira les impacts les plus externes des changements climatiques, puisque le continent verra la nombre de migrants climatiques atteindre environ 86 Millions de personnes en 2050, suivi de l'Asie du Sud avec 40 millions de migrants climatiques internes et l'Amérique latine avec 17 millions.

Actuellement, si parmi les dix pays les plus touchés par les changements climatiques dans le monde, six sont africains, 65 % de la population africaine est affectée par ses changements. L'Afrique compte déjà plus de 10 millions de réfugiés climatiques.

Par ailleurs, plus de 500 millions d'hectares de terres sont disparus du fait des changements climatiques en Afrique causant ainsi l'avancée de la désertification et son corollaire l'insécurité alimentaire. Pire encore, si rien n'est fait à l'horizon 2050, 30 % des infrastructures côtières du continent africain seront submergés[4].

L'Europe, qui a fait de la transition climatique un axe central de la grande mutation de son modèle de croissance et de développement, doit s'inscrire dans la dynamique impulsée par le premier sommet africain de l'action pour le climat présidé par SM le Roi Mohammed VI à Marrakech en novembre 2016 dans le cadre de la COP22 avec la participation de 50 chefs d'État africain, et par le Pacte Mondial pour des migrations sûres, ordonnées et régulières, adopté lors de la Conférence intergouvernementale des Nations Unies tenue en décembre 2018 à Marrakech.

---

4. Guerraoui Driss, 2021, Regards sur un Monde incertain, Changer ou régresser, Éditions la Croisée des chemins, Casablanca

Le défi de la transition énergétique

Selon l'Agence Internationale de l'Énergie, la structure de la production mondiale d'énergie dénote de la poursuite de la dépendance de nos sociétés et des économies du XXIe siècle des énergies d'origine fossile. En effet, si cette production oscille entre environ 13 à 14 millions de tonnes équivalents pétrole, elle se compose de 23 % de pétrole, 27,5 % de charbon, 24,2 % de gaz naturel, 4,5 % de nucléaire et seulement 10,7 % d'énergies renouvelables, dont 6,9 % d'hydroélectricité, 1, 6 % d'éolien, 1,0 % de biomasse et de géothermie, 0,6 % de biocarburants et 0,6 % de solaire.

Par ailleurs, selon les mêmes sources, les réserves mondiales prouvées d'énergies non renouvelables (Pétrole, gaz naturel, uranium et thorium) sont entre 1 et 1,10 milliard de tonnes équivalentes de pétrole, soit environ une moyenne de 90 ans de production au rythme actuel de la production. Cette durée est très variable selon la catégorie d'énergie. Elle est en moyenne de 50 années pour le pétrole, 53 années pour le gaz naturel, 153 années pour le charbon et 85 années pour l'uranium.

Ces données montrent le poids encore important des énergies d'origine fossile, malgré les progrès somme toute relatifs, réalisés par la communauté internationale en matière d'énergies renouvelables. Aussi, confronté au même défi à ce niveau, l'enjeu majeur commun pour l'Afrique et l'Europe à ce niveau est d'élaborer une stratégie concertée de préparation de leur avenir énergétique fondée sur l'impérieuse réalisation de raccourcis technologiques et managériaux en matière de transition énergétique.

Le défi de la transition numérique

L'observation des transformations impulsées par la révolution numérique révèle que celle-ci correspond belle et bien à l'émergence d'une nouvelle ère. Cette nouvelle ère, qui annoncent l'avènement d'une société postindustrielle, se traduit par l'apparition et le développement de nouveaux modes de travailler, de produire, d'échanger et de penser, fondé sur de nouvelles activités économiques, de nouvelles formes de mobilisation du travail, de nouveaux métiers, et corrélativement de nouveaux rapports au temps et à l'espace et de nouveaux rapports sociaux. De ce fait, la révolution numérique annonce la fin d'un monde et l'émergence d'un nouveau.

Or, à ce niveau force est de constater que la révolution numérique est en train de produire des fractures, et des injustices d'un genre nouveau, causées par l'émergence et le développement dans nos sociétés d'un phénomène grandissant qu'on peut qualifier d'analphabétisme digital. La conséquence de ce phénomène est l'aggravation des inégalités en matière d'utilisation des technologies de l'information et de la communication par les différentes régions du Monde et à l'intérieur de ces régions.

En effet, selon la Banque Mondiale, si le nombre d'utilisateurs d'internet en % du total de la population, celui des abonnés à la téléphonie fixe pour 100 habitants, et celui de la téléphonie mobile pour 100 habitants sont pour l'Afrique respectivement de 25 %, 1 % et 76 %, pour la zone euro, ils sont respectivement de 84 %, 44 % et 123 %, pour une moyenne mondiale respectivement de 51 %, 13 %, et 104 % (Site de la Banque Mondiale).

La conséquence la plus directe de ces inégalités numériques est l'exclusion de populations Africaines entières de l'accès aux services divers procurés par les technologies digitales, et ce à un moment où tout évolue dans les économies et les sociétés du XXIe siècle de telle sorte que l'accès à ce droit humain de nouvelle génération passe désormais par la capacité dont disposent les citoyens pour s'approprier les outils du numérique à tous les niveaux de leur vie économique, sociale et culturelle.

Face à la domination du marché du digital par quelques plateformes géantes et par quelques pays, l'Europe et l'Afrique peuvent trouver dans ce secteur stratégique d'avenir une sphère appropriée de mobilisation du génie respectif de leurs scientifiques, leurs industriels et leurs territoires.

5- Les enjeux de la gestion des nouvelles générations de crises et de guerres

L'observation de l'évolution des relations internationales révèle que le monde est à l'aune de l'émergence de nouvelles générations de crises et de guerres. Celles, plus visibles, que sont les crises et les guerres de l'alimentation, de l'eau, de l'énergie, et des médicaments, mais aussi celles plus pernicieuses que sont les guerres de la connaissance, du savoir, de l'intelligence artificielle, de l'information, de l'image, de l'espace, du génie génétique végétal et animal et sa forme d'expression suprême et la plus ravageuse qu'est la guerre bactériologique.

Par ailleurs, l'Afrique et l'Europe feront face à l'avenir à de nouvelles menaces communes qui portent en elles de réelles conditions de déstabilisation et d'instabilité de la sécurité régionale. Il s'agit des menaces terroristes, de la montée de la radicalisation religieuse, des tentations régionalistes et de la résurgence des conflits ethniques.

Ces menaces sont aggravées par l'émergence d'une nouvelle génération de pauvreté et de pauvres, de chômage et de chômeurs, de vulnérables et de vulnérabilités, d'exclusion et d'exclus, que nourri et amplifie la croissance des inégalités sociales, territoriales et de genre.

Ces réalités sont en train de conduire à l'apparition de violences sociales extrêmes, à l'extension-diversification des activités informelles, au développement de l'économie du crime, du trafic d'êtres humains, de piraterie et d'asile forcé, le tout sur un fonds d'un développement inédit en Afrique de formes extrêmes de radicalisme que nourris un fondamentalisme religieux croissant parmi de larges pans de la population.

Face à tous ces défis communs colossaux, et au regard de leur l'ampleur et de leur complexité, et tenant compte des nouvelles ambitions géostratégiques, géopolitiques et géoéconomiques, entre autres, de la Chine, de la Russie, des États-Unis et de la Turquie dans la zone Afrique-Monde Arabe, une alliance forte entre l'Europe et Afrique apparait vitale non seulement pour les peuples des deux continents, mais pour l'équilibre de l'ensemble du système mondial.

Au vu de tout ce qui précède, les rapports futurs de l'Afrique et de l'Europe devraient se doter de leviers communs capables de leur permettre de co-construire un partenariat d'un genre nouveau plus audacieux, plus ambitieux et plus en phase avec les réalités de la géostratégie mondiale, des défis et des risques de notre temps. Ces leviers peuvent s'articuler autour de quatre piliers :

– L'élaboration coordonnée et partagée d'une nouvelle vision géostratégique fondée sur la co-construction d'une génération d'intégration régionale d'un genre nouveau visant la création d'une Grande Zone Europe-Afrique, dont le principe directeur à inventer pourrait être « moins que l'union et plus que le libre-échange ». Dans ce cadre, l'Europe doit inaugurer avec l'Afrique une nouvelle génération de co-développement, de co-traitance et de co-localisation qui impulserait la création de plateformes communes de production, d'échange et d'innovation, qui prendraient appui sur les avantages comparatifs, compétitifs et stratégiques des différents pays et sous-régions de l'espace euroafricain ;

– Mobiliser l'intelligence et le génie euroafricains des États, des territoires, des élites scientifiques, des entreprises, des acteurs et forces vives des sociétés civiles des deux continents pour gagner ensemble la bataille redoutable des grandes transitions du futur. Il s'agit des défis colossaux liés aux dimensions climatique, énergétique, hydrique, numérique, économique et sociétale de ces transitions. Cette mobilisation est dictée à la fois par la nécessaire contribution de l'Afrique et de l'Europe à la réalisation des objectifs fixés par les agendas mondiaux portés par l'Organisation des Nations Unies, ainsi que par les impératifs de changement des modèles de développement hérités du XXe siècle, ayant conduit les sociétés et les économies de nos continents dans une véritable impasse ;

– S'engager de façon volontariste, responsable et solidaire dans la stratégie africaine de migration, telle que définie par le Pacte Mondial pour des migrations sûres, ordonnées et régulières, adopté lors de la Conférence intergouvernementale des Nations Unies tenue en décembre 2018 à Marrakech. Cet engagement nécessite de l'Europe de s'associer à l'effort de l'Afrique visant la connaissance approfondie des réalités futures des mouvements migratoires dans la Grande Zone Europe-Afrique-Monde Arabe, et la mise en place d'une stratégie concertée, maitrisée et solidaire de la question migratoire, portée par un fort engagement pour une véritable politique de co-développement ;

– Enfin, préparer les nouvelles générations d'Africains et d'Européens à cet avenir commun possible par l'éducation, la culture et une relecture de l'histoire commune. Cette dimension de nature sociétale pose la question cruciale du socle commun de valeurs à partager par les peuples et les citoyens de cette zone, les choix de sociétés, et la nature des modèles de développement et de démocraties à promouvoir, à partager et à défendre dans le Monde, et plus particulièrement au sein de la Grande Zone Afrique-Europe.

Dans cette perspective, et dans le cadre de cette grande ambition, quel nouveau partenariat construire entre le Maroc et l'Espagne pour contribuer à bâtir ce grand espace, qui constitue le véritable poumon futur et de l'Afrique et de l'Europe ?

Quel partenariat entre le Maroc et l'Espagne dans le cadre d'une grande zone Afrique-Europe-Monde arabe à bâtir ?

L'histoire, la géographie, la démographie, les intérêts mutuels et les défis communs exigent du Maroc et de l'Espagne une nouvelle vision géostratégique partagée de leur partenariat futur. Cette vision doit prendre appui sur un certain nombre de préalables, et définir des principes et des règles en phase avec l'impérative mise en place d'un partenariat d'un genre nouveau.

1. Les préalables à la construction d'un partenariat d'un genre nouveau

L'observation empirique et l'évaluation objective de l'état de la coopération entre le Maroc et l'Espagne révèlent, en effet, la nécessité de bâtir leurs futures relations dans le cadre d'une nouvelle vision géostratégique commune qui s'appuie sur trois préalables : i) partir des réalités du nouveau Maroc, ii) tirer les enseignements des réalités de l'environnement régional, et iii) transformer radicalement les bases du partenariat entre les deux pays.

1. Partir des réalités du nouveau Maroc
2. Tirer les enseignements des réalités de l'environnement régional

3. Transformer radicalement les bases du partenariat entre le Maroc et l'Espagne

2. Vers de nouveaux principes et règles d'un partenariat de nouvelle génération

La co-construction d'un destin commun entre le Maroc et l'Espagne suppose la promotion d'une vision stratégique prospective concertée et partagée sur le rôle futur que pourra et devra jouer un partenariat stratégique d'un genre nouveau.

Ce partenariat, tout en prenant appui sur les préalables susmentionnés, est appelé à définir des principes directeurs nouveaux et des règles en phase avec les ambitions qu'exige cette co-construction de ce destin commun.

Ces principes et règles devraient partir, d'abord, d'une conviction mutuelle affirmée selon laquelle le Maroc est géo-économiquement, géopolitiquement et géostratégiquement important pour l'Espagne et que l'Espagne l'est tout aussi pour le Maroc, que ce qui unit les deux peuples est plus stratégique que ce qui les différencie, que les intérêts communs aux deux pays sont plus vitaux que les différends conjoncturels de nature commerciale. Dès lors, le Maroc et l'Espagne sont condamnés à bâtir ensemble l'avenir de leur propre partenariat sur la base de ces faits majeurs vitaux pour la paix régionale et la prospérité partagée.

Partant de cette conviction, quels principes directeurs et quelles règles pourraient transformer les conflits et les différends du présent en opportunités mutuelles futures ?

La réponse à cette question centrale exige un changement radical du paradigme qui guidait jusqu'à présent les relations entre le Maroc et l'Espagne.

Ce changement suppose une approche de la coopération qui s'appuierait de part et d'autre sur des initiatives fortes assorties d'actes phares qui permettent de rétablir la confiance entre les deux pays amis. Cette confiance retrouvée est seule à même de favoriser les solutions concertées et négociées à partir d'un dialogue franc, serein, responsable et tourner vers l'avenir. Les règles et les principes directeurs de ce dialogue devraient être :

– Privilégier les solutions pacifiques fondées sur la légalité internationale et la suprématie du Droit ;

– Faire des concessions réciproques ;

– Admettre des sacrifices partagés ;

– Chercher à gagner ensemble en explorant les complémentarités et en favorisant les convergences ;

– Privilégier les solutions d'intérêt général de moyen et long termes au détriment de l'attachement à la protection et à la défense des intérêts catégoriels et sectoriels conjoncturels ;

– Tendre vers la création d'un pôle macro-régional de co-développement de proximité porté par une coopération décentralisée repensée ;

– Développer les mécanismes de cogestion des défis communs par la multiplication des passerelles de l'interconnaissance, et des mécanismes du travail collectif ;

– Opérer un changement de l'image croisée de l'Espagne au Maroc et du Maroc en Espagne en éduquant les citoyens des deux pays au respect de l'autre, au bon voisinage, à la concorde, à la solidarité et à la paix par l'éducation, le renforcement des échanges humains et la promotion de stratégies de communication dédiées ;

– Et enfin, gérer les conflits hérités du passé et ceux du présent par le réalisme, le pragmatisme, l'audace, le courage politique, et l'intelligence stratégique, qu'il s'agisse du conflit du Sahara, des Présides encore sous colonisation (Ceuta, Mellila, les Iles Zaffarines, les rochers d'Alhucemas et Velez de la Gomera et l'Ilot Perejil), des différends concernant l'agriculture et la pêche, ou la gestion future de défis énergétique, climatique, migratoire et sécuritaire.

Cette nouvelle vision exige, cependant, l'émergence et le développement en Espagne et au Maroc d'une nouvelle culture politique portée par des élites visionnaires capables de préparer les esprits et les consciences des citoyens, des territoires, des entreprises et des acteurs et forces vives des deux pays à toutes les solutions durables, qui préserveraient les intérêts des générations futures, anticiperaient les risques futurs, et prépareraient toutes les conditions qui garantiraient demain les rapports de bon voisinage, de la concorde, du vivre ensemble et du respect mutuel.

C'est à ce prix que les deux pays amis pourront demain gagner ensemble la bataille redoutable de la paix, la stabilité, la sécurité et la prospérité partagée, conditions indispensables pour la réalisation d'une nouvelle ambition basée sur la co-construction d'un destin commun profitable pour les peuples marocain et espagnol.

Au vu de tout ce qui précède, quelques conclusions s'imposent :

- L'Espagne a besoin d'un Maroc stable et développé et le Maroc a besoin d'une Espagne forte et prospère ;
- Le Maroc et l'Espagne doivent être des ponts entre l'Afrique et l'Europe ;
- La géographie et cette nouvelle vision géostratégique imposent d'élaborer ensemble une grande ambition pour la zone Euro-Africaine, à la tête de laquelle la construction d'une liaison fixe ;
- L'Espagne et le Maroc doivent être un modèle de partenariat entre un pays africain et un pays européen voisin ;

– L’Espagne et le Maroc doivent être les locomotives du nouveau partenariat entre l’Afrique et l’Europe.

C’est pour toutes ces raisons qu’ils ont besoin de la paix, de la concorde, du bon voisinage, de la solidarité et d’un d’une forte coopération pour et par le co-développement. Aussi, l’Espagne et le Maroc d’aujourd’hui doivent ensemble voir grand et loin.

** *Allocution d’investiture comme nouveau Membre de l’Académie Royale Européenne des Docteurs, le 25 octobre 2021, Barcelone, Espagne.*

LE TRAITÉ DE PAIX DE 1774 ENTRE LE MAROC ET LE PORTUGAL
250 ANNÉES D'AMITIÉ ET DE CONCORDE ENSEIGNEMENTS POUR LE PRÉSENT ET LEÇONS POUR L'AVENIR

Dans un contexte international où dominent encore les guerres et les conflits dans de nombreuses régions et zones géographiques du Monde, parler de la paix est d'une grande importance, particulièrement dans une phase où le Maroc et le Portugal sont en train d'écrire une nouvelle page de leur Histoire, non seulement en raison de la perspective de l'organisation commune de la coupe du Monde de 2030, mais aussi et surtout du fait de la nouvelle dynamique que prend de nos jours le partenariat entre nos deux pays.

Dans ce cadre, il convie de montrer en quoi la construction précoce de fondements solides de la Paix et de la concorde signées entre le Maroc et le Portugal en 1774.

Pour ce faire, nous allons dans un premier temps examiner le contexte national, régional et international dans lequel ce traité a été conclu, expliciter dans un deuxième temps les raisons qui ont présidées à la conclusion du Traité, dans un troisième temps mettre en exergue ses principales caractéristiques et enfin, tirer les enseignements majeurs pour le présent et les leçons essentielles pour l'avenir des relations entre le Maroc et le Portugal.

À l'heure du 250e anniversaire de cet important traité, le premier du genre entre les deux pays, cet exercice trouve toute son utilité académique, son sens géopolitique et sa signification en termes de réflexion sur l'avenir des relations de coopération entre le Maroc et le Portugal, relations forgées par la proximité géographique, la longue histoire partagée et un destin commun à préserver, à consolider et à perpétuer.

Mais avant d'examiner ces points, un préalable à notre analyse s'avère crucial, voire incontournable. Car c'est lui qui nous permet de comprendre la genèse de la paix et de la guerre depuis la naissance de l'État-nation Marocain il y a plus de 12 siècles jusqu'à nos jours, et qui contribuera à apporter un éclairage historique sur la longue durée concernant les facteurs et les conditions qui ont toujours été décisifs dans le combat du Maroc pour gagner la bataille de son indépendance. Aussi, deux questions essentielles se posent à ce niveau :

- Quels sont historiquement les facteurs qui ont contribué soit à favoriser l'occupation du Maroc par des forces étrangères, soit à renforcer ses capacités immunitaires endogènes pour contrer les agressions de ses ennemis et réunir ainsi les conditions de la préservation de sa souveraineté ?
- Et comment les acteurs, notamment l'État, les élites économiques, intellectuelles, religieuses, l'administration et l'armée ont répondu ou pas aux impératifs de l'indépendance et corrélativement de la paix et de la guerre ?

Pour répondre à ces deux questions centrales, nos investigations nous ont montré que tout au long de son histoire jusqu'à nos jours le Maroc a fait et fait encore face à trois réalités[5] :

---

5. Voir à ce sujet notre ouvrage « Regards sur un Monde incertain », 2021, Éditions La Croisée des chemins, Casablanca

– Une réalité interne où les facteurs institutionnels et socioculturels ont soit empêché, soit retardé, soit favorisé la réussite des multiples tentatives de modernisation que le Maroc a connues depuis la constitution de l'État et de la Nation Marocaine ;

Une réalité externe où le Maroc devait faire face à des occupations étrangères, Ottomanes puis Européennes et devait réguler positivement la maitrise de son ouverture sur le Monde ;

Et enfin une réalité de nature civilisationnelle qui consiste à réussir à réformer l'État, l'économie, et la société c'est-à-dire à reformer l'armée, l'administration, la fiscalité et les activités productives pour permettre au Maroc d'entrer dans la modernité sans perdre son être civilisationnel et son identité culturelle, non seulement pour préserver son indépendance, mais pour occuper une place de choix dans le concert des Nations.

Dans ce cadre, quatre faits historiques majeurs ont marqué et marquent encore la longue marche de notre pays pour réaliser sa souveraineté, construire son modèle de développement, assurer son rayonnement international et circonscrire ses relations avec le reste du Monde :

– Le 1er fait a trait à la place centrale, voire stratégique de l'État dans la vie de la Nation Marocaine

En effet, durant toute l'histoire du Maroc, l'État a été et reste encore au cœur de toutes les tentatives de réformes. Il en a été l'initiateur, l'acteur principal et le régulateur majeur. Mais ces réformes et leurs aboutissements dépendaient en dernier lieu de la qualité des Sultans et du poids du Makhzen. Autrement dit à chaque période de l'histoire du Maroc où le système institutionnel est porté par un Sultan ayant une vision portée par un projet de modernisation, le Maroc a su et a pu s'engager dans une dynamique de réformes, y compris économique et a pu recouvrir sa souveraineté.

– Le 2e fait réside dans le rôle que joue soit l'ouverture sur le monde extérieur, soit le repli sur soi dans la dynamique du développement au Maroc.

Ainsi, à chaque fois que le Maroc se repliait sur lui-même il connait une stagnation, voire une régression, et à chaque moment de son histoire où son État, sa société et son économie se sont ouverts sur le monde extérieur, le pays a pu et a su puiser des éléments technologiques et managériaux qui ont contribué à sa modernisation.

– Le 3e fait est lié à l'existence ou pas d'une masse critique d'élites.

En effet, historiquement l'issue du processus de modernisation a toujours été tributaire de la capacité du Maroc à produire des élites commerçante, politique, religieuse et intellectuelle de qualité, conscientes des enjeux des réformes et engagées dans la réussite de ces réformes.

– Le 4e fait tient, enfin, à la nature des rapports de force entre le Makhzen et les tribus ou pour utiliser un concept de notre temps entre l'État et la société.

À ce niveau, force est de constater que jusqu'à nos jours, à chaque fois que les rapports entre l'État et la société, notamment politique, étaient marqués par l'apaisement, le dialogue, le consensus et l'engagement concerté et partagé dans la voie de la réforme et non la voie de la tension, de la contestation, de la légitimité du pouvoir politique, voire la rupture, le Maroc a non seulement entrepris des avancées en matière de modernisation de ses institutions, de son Droit et de son économie, mais a même pu réaliser des raccourcis en matière de développement et de souveraineté.

L'ensemble de ces facteurs sont au cœur de toute analyse de la situation du Maroc avant le XVIIIe siècle, durant le XVIII siècle et après le XVIII.

Et c'est à la lumière de ces facteurs et à partir de cette grille de lecture que nous allons tenter d'examiner ces processus, et ce à partir des dates clés qui ont marqué l'histoire du Maroc dans ces relations avec le Portugal. Ces dates sont 1415, 1541, 1578, 1757, 1769 et enfin 1774 date objet central de notre contribution[6].

1415 ou la phase de l'émergence du Portugal et du déclin du Maroc

En 1415, le Maroc était sous le règne de la dynastie des Mérinides qui a succédé à la dynastie des Almohades. C'est cette dynastie qui a à la destinée du pays au XIIIe siècle. Cette période est marquée par l'instabilité politique due aux rivalités tribales qui ont conduit à des troubles internes et des luttes intestines. Aussi, le pouvoir central s'est affaibli dans un Marprésidéoc où le contrôle du territoire s'est trouvé assuré par des chefferies tribales et des micropouvoirs locaux. Cette réalité politique a conduit à partir du milieu du XV siècle à l'avènement d'une nouvelle dynastie, celle des Wattassides qui étaient initialement des vizirs et des conseillers des sultans Mérinides.

À ce déclin du Maroc correspondait l'émergence du Portugal comme nouvelle puissance, qui en 1451, va inaugurer l'ère

---

6. Pour l'examen de ces périodes, nous nous sommes appuyés sur les travaux suivants : Guerraoui Driss (Dir), 2022, Marocains et Portugais, Regards croisés, Éditions l'Harmattan, Collection « Les Afriques de demain », Paris

عثمان المنصوري،2024، تاريخنا المشترك، مقالات في تاريخ المغرب والبرتغال» نشر دار الإحياء للنشر والتوزيع، طنجة

عثمان المنصوري، 2005، العلاقات المغربية البرتغالية 1790-1844، الجزء الاول والثاني، مطبعة فضالة

عثمان المنصوري،2023، البرتغال والمغرب في القرن 18: حصار مازاگاو الأخير. تأليف ف.أ.أوليفيرا مارتنش. ترجمة

de l'expansion de l'Europe chrétienne en Afrique du Nord musulmane. Cette nouvelle ère a été couronnée par l'occupation du préside marocaine de Ceuta par le Portugal du Roi Jean 1er. La ville de Ceuta doit son importance à sa position géostratégique exceptionnelle jouxtant le détroit de Gibraltar et à son statut de centre commercial prospère. Son occupation représente une véritable croisade chrétienne contre les Maures dans la droite ligne de la Reconquista.

Elle vise, d'une part, à contrôler l'importante route commerciale reliant l'Europe à l'Afrique subsaharienne où convergeaient les caravanes transportant l'or, l'ivoire, les épices et d'autres produits exotiques, et d'autre part, elle inaugure la politique portugaise d'expansion coloniale des côtes atlantiques de l'Afrique. Elle correspond à la phase des grandes découvertes portugaises portées par Henri le navigateur, fils du Roi Jean 1er et à l'amorce de la constitution du grand empire colonial portugais.

De ce fait, cette occupation annonce le début de la conquête par le Portugal du littoral marocain, méditerranéen et atlantique. C'est ainsi qu'entre 1415 et 1550, pratiquement tous les ports marocains sont occupés par le Portugal.

À partir de cette date, et face à la persistance de l'affaiblissement du pouvoir central des Wattassides et son incapacité à libérer ces territoires, une prise de conscience nationale nourrie par l'action de confréries religieuses, « les zaouïas », et de leaders spirituels, « les Chorfas » ou marabouts, est nait au sein de la société marocaine. Elle avait comme motivation de contrer cette occupation, qui reste aux yeux de la population du pays une occupation par les chrétiens de la terre de l'Islam.

De cette dynamique sociopolitique endogène d'essence religieuse émergea la dynastie Saadienne qui revendiqua ses origines chérifiennes en tant que descendante du Prophète Mohammad. Cette dynastie commença dès 1510 à contester le pouvoir des wattassides et à entamer des campagnes militaires pour libérer les ports marocains de l'atlantique sous occupation portugaise.

1541, le début de la lutte pour la libération des côtes marocaines

En effet, à partir de 1541, la dynastie Saadienne a entamé des campagnes militaires pour libérer les ports marocains de l'atlantique sous occupation portugaise. Ce faisant, si tous les ports du pays ont été repris à partir de cette date et ne restaient sous domination portugaise que ceux de Tanger, Ceuta et Mazagan, la chute d'Agadir fut un coup fatal pour le Portugal. Cette ville, conquise en 1505, était un symbole de la puissance portugaise dans la région. Sa perte s'inscrivait dans une série de revers. Car, la même année, Safi et Azemmour sont également libérés, et Lakasr Sghir et Assila le furent aussi respectivement en 1549 et 1550.

Cette période marqua le début d'un basculement du rapport de force entre le Maroc et le Portugal, qui s'accentua à partir de 1578 avec la bataille de Ksar El Kébir, qui constitue le point de départ d'un réel et grand tournant et pour le Maroc et pour le Portugal.

1578, la bataille de Ksar El Kébir, ou le grand tournant pour le Maroc et le Portugal

La bataille de Ksar El Kébir, également connue sous le nom de « la bataille des Trois Rois » au Portugal et de « La bataille de Oued El Makhazine » au Maroc, est un événement historique majeur qui s'est déroulé le 4 août 1578 près de la ville marocaine de Ksar El Kébir (Alcácer-Quibir). Cette bataille a vu s'affronter trois Rois que sont Sébastien 1er du Portugal, Abd al-Malik de la dynastie Saadienne, sultan du Maroc et Mohamed Al Moutawakil, également membre de la dynastie Saadienne.

La bataille a mis en confrontation les armées des trois rois qui se sont rencontrées pour une confrontation décisive. L'armée portugaise, dirigée par Sébastien 1er, comprenait environ 20 000 hommes, dont de nombreux nobles portugais et mercenaires européens. L'armée du sultan Mohammed Al Moutawakil, qui était beaucoup plus faible, se rangeait du côté des forts. Les forces de Abd al-Malik, le sultan en place, étaient soutenues par l'empire ottoman, ce qui leur assurait une artillerie moderne et des renforts militaires.

Selon l'historiographie dominante, la bataille fut intense, mais tourna rapidement en faveur d'Abd al-Malik, grâce à la supériorité numérique et stratégique de son armée.

Par ces multiples répercussions, cette guerre a constitué un grand tournant tant pour le Portugal que pour le Maroc.

Pour le Portugal, elle inaugura une véritable crise de succession. En effet, la mort de Sébastien 1er sans héritier direct créa une grave crise dynastique. En l'absence d'un successeur légitime, la couronne portugaise désigna son oncle, le cardinal Henri, mais celui-ci mourut peu de temps après. Par ailleurs, en 1580, deux ans après la bataille, le roi Philippe II d'Espagne profita de cette situation pour revendiquer le trône portugais en créant l'union ibérique. Cette union dura jusqu'en 1640, date à laquelle le Portugal retrouva son indépendance.

Pour le Maroc, la victoire permit à la dynastie Saadienne de renforcer son pouvoir sur tout le pays. Le frère d'Abd al-Malik, Ahmed al-Mansour Addahbi, qui veut dire le Victorieux Doré, devint le nouveau sultan après la bataille. Il régna de 1578 à 1603. Il est sans doute le plus célèbre des sultans Saadiens. Son règne est marqué par la prospérité économique et le rayonnement culturel du Maroc. En effet, après la bataille de Ksar El Kébir, ou la bataille de Oued al-Makhazin, il se lance dans une ambitieuse conquête de l'Afrique de l'ouest, en particulier de l'empire songhaï. En 1591, il envoie une expédition militaire dirigée par le général Judar Pacha qui conquiert Tombouctou, Gao et Djenné, des villes cruciales pour le commerce transsaharien du sel, des épices et de l'or. Cette campagne permet au Maroc de contrôler les routes commerciales et d'accumuler d'importantes richesses.

Mais, sous son règne, le Maroc connait, aussi, la naissance d'un État centralisé fort porté par des réformes apportées à l'administration du pays et à l'armée dans le sens de leur modernisation et de leur développement.

Sur le plan de la diplomatie, le Sultan Ahmed Al Mansour Addahbi entretient une politique active. Il négocie avec les puissances européennes, notamment avec l'Espagne et l'Angleterre. Il entretient des relations avec l'Empire ottoman tout en conservant son indépendance vis-à-vis de cet empire. Sa correspondance avec la reine Élisabeth 1re d'Angleterre est un exemple de son habileté diplomatique, puisqu'il lui proposa une alliance pour combattre leur ennemi commun, l'Espagne.

Au niveau du rayonnement culturel du pays, il investit dans le développement de patrimoine et de l'architecture. Il fait construire des palais somptueux à Marrakech, sa capitale, comme le célèbre Palais El Badi, symbole de la grandeur Saadienne, décorés de marbre italien et d'or. Son règne est marqué, également, par une période de mécénat artistique, avec l'épanouissement de la littérature, des sciences, et de l'architecture islamique.

Mais, à sa mort en 1603, le Maroc connait une période de troubles et de divisions. Ses fils se disputant le pouvoir plongeaient le pays dans une guerre civile, dont il ne se remettra qu'avec l'avènement de la nouvelle dynastie alaouite, qui prend le pouvoir à partir du milieu du 17e siècle.

1757, le début du règne de Sidi Mohamed Benabdallah, ou l'inauguration d'une nouvelle ère pour le Maroc

En effet, le Roi Sidi Mohammed Benabdallah fut un roi unificateur, modernisateur et visionnaire. Il a réussi à réaliser l'unité du pays, à le pacifier après plus de 30 années de troubles, d'anarchie et d'instabilité, à concilier entre l'ouverture du Maroc sur l'Europe chrétienne et l'attachement à la civilisation et à la culture Islamiques, à redonner un intérêt pour tout le territoire en instaurant un équilibre entre les villes de la Méditerranée et celle de l'Atlantique, en créant de nouveaux pôles urbains et de nouveaux ports comme Casablanca, Mohammedia et Mogador et en réformant l'économie, l'armée, l'administration, la politique extérieure et la diplomatie, le tout couronné par la récupération le 11 mars 1769, de la dernière ville marocaine restée sous occupation portugaise à savoir Mazagan, après un siège de la ville qui a commencé dès le 1er décembre 1768 et la préparation des conditions de la signature de l'important traité de paix paraphé en 1774 entre le Maroc et le Portugal, annonçant l'ère d'une paix durable entre les deux pays.

1769, la fin de l'occupation de Mazagan et l'amorce de la construction de la paix

L'année 1769 constitue un véritable nouveau tournant dans les relations entre le Maroc et le Portugal. Elle correspond à l'année où le Maroc sous le règne du sultan alaouite Sidi Mohammed ben Abdallah a récupéré la dernière ville occupée par les Portugais, Mazagan.

En effet, l'armée du sultan lança une campagne contre cette ville, obligeant les Portugais à l'évacuer, mettant ainsi fin à plus de trois siècles et demi de présence portugaise au Maroc. C'est alors que les habitants portugais de Mazagan furent transférés au Brésil, où ils fondèrent une nouvelle ville, « Nova Mazagão », marquant ainsi la fin d'une ère et le début d'une autre. Mais contrairement à 1541, la libération de Mazagan en 1769 a connu le début de l'amorce de la construction de la paix.

1774 ou l'ère d'une paix durable entre le Maroc et le Portugal

L'année 1774 représente, en effet, une période charnière dans l'histoire des relations entre le Maroc et le Portugal, deux nations dont des dynamiques politiques, économiques, diplomatiques, civilisationnelles et culturelles endogènes différenciées ont façonné leurs trajectoires respectives et ont conditionnées leurs positionnements sur l'échiquier régional et mondial tout au long du XVIIIe siècle[7].

1. La situation du Maroc en 1774

En 1774, bien qu'en proie avec une situation de transition politique découlant d'une période d'instabilité et de luttes internes, le Maroc était sur le plan économique, un acteur clé dans le commerce transsaharien, échangeant des produits tels que l'or, le sel et les esclaves avec les nations du Sahel. Cependant, les pressions croissantes des puissances européennes, notamment

---

7. Voir à ce sujet :
- Académie des Sciences du Portugal, Archives, Lisbonne

الجيلالي ضريف، معاهدة الصلح بين سيدي محمد بن عبد الله، سلطان المغرب و جوزيف الاول ، ملك البرتغال ، 12
رمضان 1187

عثمان المنصوري، 2010،»اتفاقية السلم بين البرتغال والمغرب»، ترجمة مقال من البرتغالية لفرناندو دو كاشترو برانداو، ضمن : المغرب والتحولات الدولية، أعمال ندوة تكريم الأستاذ عثمان المنصوري، منشورات كلية الآداب عين الشق، تنسيق لطفي بوشنتوف، الدار البيضاء ، ص. 23

la France et l'Espagne, ont posé des défis au Maroc en termes de souveraineté économique et d'autonomie géostratégique.

Sur la scène internationale, le Maroc entretenait des relations complexes avec les puissances européennes de l'époque comme le Danemark, la Hollande, la Grande-Bretagne et la Suède. Mais c'est la rivalité entre la France et l'Espagne pour influencer la politique marocaine qui était particulièrement palpable, chaque nation cherchant à consolider son emprise sur le territoire marocain pour des raisons à la fois politiques et économiques.

En outre, le Maroc était impliqué dans des conflits régionaux et nouait des alliances conjoncturelles avec d'autres puissances musulmanes en Afrique du Nord, ce qui ajoutait une dimension supplémentaire à sa position géostratégique et géopolitique délicate.

2. La situation du Portugal en 1774

Pendant ce temps, le Portugal faisait face en 1774 à des défis internes et externes, notamment des tensions avec l'Espagne, son voisin et rival historique. La dépendance du Portugal vis-à-vis du commerce avec le Brésil, alors colonie portugaise, a également eu un impact significatif sur son économie et sa politique.

Sur le plan international, le Portugal était engagé dans des conflits coloniaux en Amérique du Sud et en Afrique, cherchant à étendre son empire et à consolider sa position en tant que puissance maritime. Les rivalités avec l'Espagne pour le contrôle des routes commerciales et des territoires coloniaux ont façonné la politique étrangère du Portugal et ses alliances en Europe.

Aussi, l'année 1774 a été donc une période cruciale et pour le Maroc et pour le Portugal, deux nations confrontées à des défis internes et externes communs. Si la compréhension de ce contexte est essentielle pour appréhender les interactions politiques, économiques, diplomatiques et géostratégiques de l'époque et leurs implications à long terme sur les relations entre les deux pays, la façon dont les gouvernants de l'époque ont su et pu gérer les défis impulsés par ce contexte est au cœur de la conclusion de la paix en 1774 et de sa durée 250 ans plus tard.

En effet, plusieurs facteurs ont contribué fortement à bâtir une paix durable entre le Maroc et le Portugal :

– Un héritage commun de plusieurs siècles et une contribution mutuelle à la construction de la civilisation andalouse dont les traits sont encore vivants à la fois au Portugal et au Maroc. Cet héritage commun et cette construction mutuelle, dont les Portugais et les Marocains sont fiers, ont des dimensions humaine, culturelle, linguistique et celles ayant trait au patrimoine dans toute sa diversité architecturale, culinaire, vestimentaire, musicale et artisanale.

– Par ailleurs, la paix a été rendue possible grâce à la conjonction de la volonté politique de deux rois éclairés, visionnaires, ouverts sur le monde, réalistes et pragmatiques, Dom José 1er et son Premier Ministre Marquez de Panbal et le Sultan Sidi Mohamed Benabdallah.

– Cette volonté découle de la prise de conscience par le Portugal et le Maroc de leurs intérêts économiques respectifs et de la prise en compte de leurs préoccupations géostratégiques mutuelles.

D'un côté, le Portugal qui commence à être déclassé par de nouvelles puissances européennes montantes, qui avait besoin de protéger sa flotte maritime contre les attaques des pirates et les corsaires aussi bien des Marocains que des régences d'Alger, de Tunisie et de Libye qui constituaient une menace pour son commerce avec le Brésil, qui se voit affaibli par un effort financier et militaire croissant généré par l'affrontement avec l'Espagne qui lui livre une concurrence acharnée autour de ses chasses gardées en Afrique et en Amérique latine, et plus particulièrement au Brésil, mais aussi un Portugal qui avait besoin de s'approvisionner sur un marché de proximité en denrées stratégiques comme les céréales et le bétail, en plus de ceux issus du commerce transsaharien comme le sel, les épices et d'autres produits exotiques qui transitent par le Maroc.

De l'autre côté, le Maroc qui a opté pour l'ouverture de son littoral atlantique au commerce avec l'Europe, se devait d'éviter le blocus de ses côtes, les attaques de ses ports, et la piraterie qui continuait dans certains ports malgré la pacification du pays, un Maroc qui avait besoin d'armements portugais, de l'expertise portugaise pour renforcer les bases nationales de sa flotte maritime et d'accéder à des ports de repli en cas de tempête ou de problèmes particuliers liés à la maintenance et à la réparation de ses navires.

Aussi, la paix était souhaitée par les deux pays, qui ont pris des initiatives politiques comme l'envoie d'émissaires de haut rang (Ambassadeurs, Consuls et Haut commis de l'État) auprès du Sultan du Maroc Sidi Mohammed Ben Abdallah et du Roi du Portugal Dom José, couronnées par des accords de trêves couvrant la période du 1er septembre 1769 au 30 août 1770, renouvelée jusqu'en 1772. Fait symbolique important à signaler, ces initiatives mutuelles de recherche de la concorde, de l'entente et de la coopération ont toutes été accompagnées d'offre par les deux rois de cadeaux très précieux en signe d'amitié et d'estime réciproques. L'ensemble de ces actions ont conduit à la conclusion le 11 janvier 1774 du Traité de Paix entre les deux pays.

Ce traité comporte 22 articles qui actent un véritable libre-échange entre le Maroc et le Portugal, avec des garanties réciproques de sécurité, de protection des personnes, y compris pour les prisonniers et les esclaves, et de leurs biens, et ce sans limites de temps, en sus de l'installation d'un consul général du Portugal au Maroc.

Quels enseignements pour le présent et leçons pour l'avenir tirer de ce traité de paix ?

Les Enseignements et les leçons du Traité de Paix entre le Maroc et le Portugal de 1774

Comment parler en 2024 d'enseignements et de leçons d'un Traité de paix signé en 1774 ? Et pourquoi cette question est-elle importante aujourd'hui ?

Elle l'est parce que le contexte de 2024 dans lequel évoluent le Maroc et le Portugal est un contexte marqué par la multiplication des guerres régionales et l'intensification des tensions entre de nombreux États voisins. Cette situation est amplifiée par la quasi-faillite de la gouvernance mondiale des crises et des conflits, accélérant la décomposition du multilatéralisme, déstabilisant l'état de Droit et le respect de la légalité dans les relations internationales et annonçant le retour à la course à l'armement.

Cette nouvelle réalité du Monde nouveau est alimentée par un choc inédit des ambitions portées par les anciennes et les nouvelles puissances économiques et militaires émergentes plongeant l'ensemble du système planétaire dans l'incertitude et les risques majeurs de toute nature mettant ainsi la sécurité humaine globale dans son ensemble dans une rude épreuve.

En effet, si le Stockholm International Peace Research Institute (SIPRI) note une augmentation des dépenses militaires dans le monde en 2023 de 2443 milliards de dollars depuis 2014, l'Armed Conflict Survey de l'International Institute for

Strategic Studies (IISS) de Londres dénombre pas moins de 183 conflits régionaux dans le monde en 2024 [8].

Aussi paradoxale que cela puisse paraitre, et parce que cette situation est très préjudiciable pour toutes les composantes de la communauté internationale en termes de stabilité, de sécurité et de prospérité partagée, aujourd'hui plus que jamais, la réflexion sur les conditions de réalisation de la paix à l'échelle bilatérale et multilatérale s'avère vitale pour toutes les nations du monde.

C'est pour cette raison fondamentale que tirer des enseignements et des leçons de ce que la paix génère pour le co-développement des nations est utile pour l'avenir des relations entre les États et les groupements régionaux dans le Monde nouveau.

C'est cet exercice que nous allons tenter à partir de l'expérience éclairante de 250 années de paix entre le Maroc et le Portugal. Cependant, nous nous soumettons à cet exercice sans optimisme démesuré surestimant le rôle de la paix et sans pessimisme exagéré sous-estimant sa place la construction d'une concorde conduisant à un partenariat durable mutuellement avantageux pour les États.

Partant de ce postulat, quels sont les enseignements tirés du traité de paix de 1744 pour le présent et quelles leçons pour l'avenir.

1. Les enseignements pour le présent

Le traité de paix signé en 1774 entre le Maroc et le Portugal représente un moment très significatif dans l'histoire des relations internationales. À une époque où les conflits et les rivalités

8. Cf Jean-Baptiste Jeangéne Vilmer, 2024, le réveil stratégique Essai sur la guerre permanente, Éditions du Seuil, p16

coloniales étaient fréquents, ce traité a permis d'établir une paix durable entre deux nations aux intérêts souvent divergents qui se sont fait la guerre plus de trois siècles et demi durant. En examinant les enseignements que l'on peut tirer de cet accord historique, nous pouvons mieux comprendre les dynamiques contemporaines des relations internationales et de la diplomatie et la manière dont les nations peuvent gérer leurs différends et leurs conflits.

Ces enseignements s'articulent autour des principes directeurs suivants :

1. La nature décisive de la confiance entre les parties pour lancer les bases d'une paix solide et durable qui résiste aux soubresauts et contingences de la conjoncture nationale, régionale et internationale.
2. Faire de la transformation des différends et des conflits en opportunités de construction de la paix et de la coopération comme choix stratégique ;
3. L'importance de l'existence d'un leadership visionnaire, éclairé et déterminé conduisant son pays à la paix ;
4. Le rôle de la volonté politique et de l'audace des dirigeants ;
5. L'utilité de bâtir des alliances dans un contexte de tensions et de compétions ;
6. Et enfin, renforcer, multiplier et diversifier les échanges humains pour une meilleure interconnaissance et pour une bonne préparation des conditions de la paix et de la concorde.

2. Leçons pour l'avenir

1. Écouter les élites éclairées, les experts militaires et les savants du pays ;

2. Se doter d'un écosystème d'information performant sur l'ennemi et les partenaires pour évaluer les rapports de forces, connaitre l'environnement, jauger l'effort de guerre et préparer sa stratégie ;
3. Bâtir l'entente sur les principes de réalisme économique et de pragmatisme géostratégique ;
4. S'armer de la culture du gain mutuel versus gagnant-gagnant ;
5. Construire les compromis et prévenir les tensions, les conflits et la guerre en opérant des concessions réciproques et en acceptant des sacrifices partagés ;
6. Enfin, éduquer à la paix et à la concorde pour favoriser les bases humaines de l'entente, de la tolérance, de la coexistence pacifique et du vivre ensemble.

3. Enfin, une leçon géostratégique prospective importante

Cette leçon géostratégique réside dans le rôle que devrait jouer la mer comme pilier futur du partenariat entre le Maroc et le Portugal dans le cadre d'une grande Zone Afrique-Atlantique — Méditerranéen à bâtir.

Outre la situation géographique exceptionnelle du Maroc et du Portugal, bordant la mer Méditerranée et l'océan Atlantique, cette perspective géostratégique trouve sa raison d'être dans la place qu'a jouée la mer tout au long de l'histoire des deux pays, à tel point que leur destin respectif en a été souvent tributaire, et ce dans de nombreuses phases de leur histoire commune.

Aujourd'hui, cette perspective est confortée par le fait que dans le Nouveau Monde du XXIe siècle non seulement nous assistons à un regain d'intérêt pour la mer et les océans, mais que ceux-ci sont devenus au cœur des enjeux géoéconomiques, géopolitiques, militaires, sécuritaires, climatiques, voire même civilisationnels.

Ce postulat s'explique par le fait que la mer et les océans, les richesses naturelles, minières, énergétiques, hydriques qu'ils recèlent et la biodiversité qu'ils renferment constitueront l'eau douce et d'irrigation de demain, l'énergie de demain, la mine de demain, la mobilité des personnes, des marchandises, des capitaux et des technologies de demain et donc le principal réservoir du développement économique et du progrès social de demain. Pour toutes ces raisons réunies, la mer et les océans seront l'espace privilégié des enjeux futurs de la paix, de la stabilité, de la sécurité et de la prospérité.

Dans cette même perspective, force est de constater que pour le Maroc la mer est devenue une partie essentielle de la nouvelle vision géostratégique de ses rapports avec le reste du Monde. En effet, l'initiative Atlantique pour l'Afrique lancée par Sa Majesté le Roi Mohammed VI le 6 novembre 2023 en est l'expression géopolitique, géostratégique et géoéconomique la plus expressive. Si cette initiative contribuera à désenclaver les pays africains qui n'ont pas accès à la mer atlantique, elle enclenchera une dynamique de co-développement au profit de 23 pays du continent qui représentent 46 % de la population africaine, 55 % de son PIB et 57 % de son commerce.

Cette importante initiative et bien d'autres sont confortées par les grands chantiers structurants entrepris et en cours de réalisation sur le plan des infrastructures. Les ports de Tanger Med déjà opérationnel et celui de Dakhla Atlantique en voie d'achèvement en représentent les traits les plus marquants. Ces grands chantiers structurants sont en train de renforcer de façon significative la connectivité du Maroc non seulement avec son continent l'Afrique, mais aussi l'Europe, les Amériques, le Monde Arabe et l'Asie.

Au-delà des possibilités de partenariat divers qu'offre l'organisation commune du Mondial de 2030, le Maroc et le Portugal ont à tous ces niveaux des avantages comparatifs naturels à capitaliser, des atouts communs à valoriser et des projets futurs d'intérêt mutuel à bâtir.

Au terme de cette analyse et de cette lecture des enseignements et des leçons tirées de 250 années de paix, d'entente, de concorde et d'amitié entre le Maroc et le Portugal, quelles conclusions finales mettre en évidence.

Conclusions finales

La première conclusion essentielle est que nous sommes devant deux pays, le Maroc et le Portugal, qui ont su et pu bâtir une amitié enracinée dans 250 années d'histoire commune marquée par la paix, l'entente et la concorde depuis 1774.

La deuxième conclusion est que cette paix précoce, cette entente sincère et cette concorde partagée voulue par les deux pays ont été à la base de la construction d'un modèle original de coopération, dont les traits majeurs sont la confiance, la solidité, la permanence, la rénovation continue, la diversification constante, le renforcement grandissant et la projection dans l'avenir.

La troisième conclusion est que ce modèle de partenariat est porté sur le plan humain par un substrat culturel et civilisationnel qui a généré un socle de valeurs partagées que sont le vivre ensemble, l'ouverture, la tolérance et le respect des spécificités institutionnelles, religieuses et spirituelles de l'autre. Si ces valeurs représentent la marque culturelle des deux peuples, elles expliquent leur fierté assumée de posséder un héritage commun.

La quatrième conclusion est que ces fondements humains enracinés dans l'histoire de ce modèle de partenariat expliquent amplement le prima accordé en matière de coopération par les dirigeants des deux pays à la préservation des intérêts mutuels, au dialogue permanent, à la coordination de leurs visions géostratégiques des grandes problématiques de leur temps, à la défense des causes justes dans le Monde, à l'engagement pour la réussite des transitions majeures décidées par la communauté internationale, en particulier les transitions climatique, énergétique et numérique et l'attachement résolu des deux pays à contribuer à la réalisation des Objectifs de Développement Durable fixés par l'Organisation des Nations Unies pour l'horizon 2030.

La cinquième conclusion, enfin, est que les résultats concrets sur le terrain de ces 250 ans d'années découlant du Traité de paix de 1774 sont en 2024 très impressionnants.

En effet, tous les indicateurs connaissent une augmentation continue et soutenue :

Le volume des investissements et avec lui le nombre d'entreprises et d'emplois créés ;

- Le volume des échanges commerciaux ;
- Le nombre de secteurs objet de ces investissements et de ces échanges ;
- Le nombre de touristes portugais visitant le Maroc et de Marocains visitant le Portugal ;
- Le nombre d'accords signés ;
- Le nombre de visites officielles effectuées par les membres des deux Gouvernements, des Parlements, des acteurs de la société civile, des entrepreneurs, des travailleurs, des chercheurs, des enseignants, des étudiants.
- Et corrélativement le nombreux de Marocains résidents au Portugal et de Portugais résidents au Maroc.

Tous ces acquits ont été actés et mis en exergues par le Forum économique Maroc-Portugal tenue en marge de la réunion de la Haute Commission Mixte Maroc-Portugal qui a eu lieu à Lisbonne en mai 2023 sur le thème « Le Maroc et le Portugal : Ensemble pour bâtir des économies prospères et un développement mutuel ».

Cette réunion a constitué une opportunité pour dynamiser le travail de « l'observatoire des investissements portugais au Maroc et des investissements marocains au Portugal » créé en 2015, pour donner un nouvel élan au partenariat entre la Confédération Générale des Entreprises du Maroc et la Fédération des Entreprises du Portugal, ainsi que pour ouvrir de nouvelles perspectives aux activités de l'Agence Marocaine de Développement des Investissements et des Exportations et l'Agence Portugaise d'Investissement et du Commerce Extérieur.

Les secteurs concernés sont l'industrie automobile, le textile, l'agroalimentaire, les industries du médicament, les énergies renouvelables, les technologies numériques, le tourisme, les infrastructures et la logistique des transports. Mais la coopération touche d'autres domaines stratégiques pour les deux pays, en particulier la justice, la sécurité, la solidarité sociale, les industries culturelles et créatives, l'enseignement supérieur, la recherche scientifique et la lutte contre les catastrophes naturelles.

À travers cette dynamique de coopération, on note tous les bienfaits de la paix et de la concorde en termes de création de richesses, de promotion d'emplois, de renforcement des liens humains, de mobilité maitrisée des populations, de développement mutuel et de prospérité partagée.

Ce sont là des facteurs de stabilité et de sécurité régionales, de gestion concertée des conflictualités et des différends, et de gouvernance mutuelle des défis communs. Les avantages de cette dynamique résident non seulement dans la capacité de ces facteurs à favoriser la promotion de la diplomatie préventive, la transformation des situations de conflits et de guerre en opportunité d'échange, mais aussi leur rôle dans le renforcement des relations de solidarité humaine active et de coopération multiforme.

**Conférence annuelle prononcée à l'Académie des Sciences de Lisbonne le 31 octobre 2025, Portugal*

L'INNOVATION EN AFRIQUE RÉALITÉS, DÉFIS, PRIORITÉS ET PARTENARIATS PANAFRICAINS FUTURS

La question de l'innovation est cruciale pour le présent et l'avenir de l'Afrique. Elle est au cœur de son développement actuel et futur. Certes, nous constatons une certaine dynamique produisant de réels succès — stories dans de nombreux pays du continent, portées soit par des startup soit par des champions nationaux, mais force est de constater que le continent est le dernier dans les classements internationaux pour tous les indicateurs liés directement ou indirectement à l'innovation.

En effet, en 2019 l'Afrique qui représente 17 % de la population mondiale ne dispose que 2,4 % des scientifiques et ne produit que 2,6 % des articles dans le monde[9]. Par ailleurs, elle compte seulement 79 scientifiques pour un million d'habitants. Selon l'UNESCO, le continent représente 1,3 % seulement des dépenses mondiales de R&D et 2,6 % des publications scientifiques recensées au plan mondial sont issues de la recherche africaine[10].

Au-delà des succès stories, somme toute relatives, réalisées par-ci par-là dans certains pays africains, les problématiques

---

9. Commission de l'Union africaine, 2015, Agenda 2063 version populaire, Addis-Abeba, Éthiopie

10. UNESCO citée par l'hebdomadaire « Jeune Afrique », in « Afrique recherche chercheurs désespérément », 28/10/2015

et les expériences examinées dans le présent l'ouvrage par les membres du réseau du Forum des Associations Africaines d'Intelligence Economique révèlent que ce dont les pays du continent ont besoin, ce sont de véritables écosystèmes nationaux et régionaux d'intégrés d'innovation.

Or, cette perspective nécessite à ce que ces écosystèmes soient armés, de façon concomitante, par quatre leviers essentiels.

Le premier de ces leviers est le levier économique. Car l'innovation est avant tout et surtout tirée le plus souvent par l'existence de systèmes productifs forts qui tout en investissant dans la recherche scientifique et technologique font des résultats de l'innovation un facteur de la compétitivité et de l'excellence de leurs entreprises et de leurs territoires, qui constituent des facteurs clés qui fondent leur attractivité. De ce fait, l'observation empirique et l'évaluation comparative des classements mondiaux en cette matière montrent qu'il y a, en effet, une relation de cause à effet entre le taux de croissance, la création de valeurs et le volume de ressources financières consacrée par les États, les entreprises et les territoires à la recherche et à l'innovation.

Le deuxième levier est le capital humain au sens où l'innovation est prédéterminée en amont par la capacité des Nations à mettre en place des politiques publiques appropriées d'éducation et de formation en mesure de permettre à l'école, à travers tous ses étages du fondamental au supérieur, de contribuer à produire des élites scientifiques et à former des compétences, dont le rôle est déterminant dans la création d'écosystèmes nationaux et territoriaux d'innovation. Dès lors, ce levier est lié aux nouvelles missions de l'école qui doivent correspondre aux mutations que connaissent les systèmes productifs nationaux et régionaux dans la Nouvelle Économie Mondiale. À ce niveau, l'analyse de ces mutations révèle que les nouvelles missions de l'école devraient s'inscrire dans quatre directions essentielles :

- Apprendre à apprendre, c'est-à-dire produire un savoir. Cette mission consiste à éduquer les enfants et les jeunes en leur offrant les outils qui leur permettent de comprendre l'environnement dans lequel ils évoluent ;
- Apprendre à entreprendre en permettant aux apprenants de s'approprier un savoir-faire qui débouche sur une professionnalisation qui les prépare à exercer un métier ;
- Apprendre à être, c'est-à-dire former à la citoyenneté en essaimant dans la société à travers l'école le socle commun de valeurs partagées mentionnées précédemment ;
- Et enfin, apprendre à créer et à innover en privilégiant les programmes et la pédagogie qui favorisent la production du génie, de l'intelligence et de la veille stratégique.

Ce sont ses missions interdépendantes qui aident à charpenter et à bâtir des écosystèmes nationaux d'innovation solides et qui permettent aux économies et aux sociétés de disposer d'un capital humain qui les aide à mieux gérer la complexité économique et financière, la rareté des ressources, les fragilités des systèmes productifs, les vulnérabilités des systèmes écologiques et corrélativement à faire face aux nouvelles générations d'insécurité et de guerres.

Le troisième levier réside dans le capital culturel au sens où l'innovation est aussi portée par un socle commun de valeurs qui guident l'action de toutes les composantes de la collectivité nationale. En économie, et en relation avec la problématique de l'innovation, ces valeurs sont l'importance du travail, de l'effort, de la prise du risque et de l'initiative. L'intérêt de ces valeurs est qu'elles impulsent dans toute la société des pratiques quotidiennes qui homogénéisent les comportements des individus, des groupes et des institutions autour d'une rationalité systémique qui libère les énergies, favorise la créativité et donne un sens à l'action au sein de toutes les organisations qui structurent la vie en société, de la famille à l'entreprise.

Le quatrième levier, enfin, est celui de la gouvernance. En effet, la dynamique de l'innovation est fonction, également, de la qualité des institutions qui favorisent, encouragent, incitent et financent la recherche scientifique et technologique. Elle est de ce fait tributaire de la mise en place d'instances constitutionnelles de gouvernance et de régulation économique responsables et indépendantes, qui veillent à garantir le respect de la liberté d'entreprendre, la concurrence loyale et juste, l'égalité des chances entre les entreprises devant l'acte économique, la lutte contre toutes les formes de rentes, les monopoles, les passe-droits et la corruption. C'est cette gouvernance qui contribue à créer un climat des affaires favorable à la prise de risque en matière d'innovation, qui renforce la confiance des acteurs économiques, des scientifiques, des chercheurs et des inventeurs dans leur écosystème national d'innovation et qui offre par conséquent une visibilité économique et une lisibilité politique aux investisseurs potentiels nationaux et étrangers et les encouragent à mettre en place des programmes volontaristes de moyen et long termes consacrés à la recherche scientifique, technologique et à l'innovation.

Autant dire que la problématique de l'innovation est systémique, complexe et multidimensionnelle.

Certes, l'Afrique ne part pas de rien à ce niveau. En effet, conscients qu'aucun pays africain ne pourra à lui seul construire une politique nationale efficace à proprement parler en matière de souveraineté scientifique, technologique et d'innovation, les États du continent ont inauguré une dynamique d'alliance stratégique à l'échelle de l'Union africaine. C'est ainsi que le Nouveau Partenariat pour le Développement de l'Afrique, ratifié en 2002, a fait de la science, la technologie et l'innovation un instrument essentiel de la réalisation du programme d'action de l'Union à l'horizon 2063. Dans cette perspective, un « Plan d'action consolidé pour la science, la technologie et l'innovation » a été adopté. Ce plan a été remplacé en 2014 par « La Stratégie pour la Science, la Technologie et l'Innovation pour l'Afrique 2024 ». Ce nouveau plan a proposé « un cadre de suivi, des mécanismes de financement et un fonds panafricain consacré à l'innovation scientifique et technologique. Son objectif est de réaliser les initiatives continentales décrites dans deux documents stratégiques, la position commune africaine sur le programme de développement post-2015 et l'agenda 2063, qui identifient tous deux les sciences, la technologie et l'innovation comme sous-tendant la réalisation des aspirations africaines »

Au-delà de ces déclarations d'intention, inscrites dans des documents officiels de la Commission de l'Union africaine, beaucoup reste à faire sur le plan opérationnel. Aussi, l'enjeu panafricain majeur est de réfléchir collectivement comment passer de la volonté réelle affirmée et de la vision claire arrêtée à l'action. À ce niveau comme d'autres, l'Afrique fait face à deux défis importants :

L'effectivité des politiques de promotion de la science, la technologie et l'innovation. Car tout se passe comme si les politiques ne sont pas imbibés de la maxime : « dire ce que l'on fait et faire ce que l'on dit » ;

Et le rapport au temps, au sens d'identifier ce qui est nécessaire à faire à très court terme, ce qui est possible à moyen terme et ce qui est souhaitable à long terme, et ce en vue de réunir les conditions objectives de réalisation de raccourcis technologiques.

Dès lors, parce que le Monde ne va pas attendre l'Afrique et parce que le Monde nouveau qui se profile à l'horizon connait une impressionne dynamique de l'innovation, que les avancées rapides de l'intelligence artificielle sont en train de révolutionner, les États, les entreprises et les territoires de l'Union africaine doivent susciter une réelle mobilisation générale de leurs savants, leurs chercheurs et leurs inventeurs en vue de mettre leur génie, leur intelligence et leur veille stratégique au service de l'Afrique de l'innovation.

À cet effet, et pour examiner cette problématique, il convient de répondre à quatre questions essentielles :

– Quelle est la réalité de l'innovation en Afrique et pourquoi les États du continent n'arrivent pas encore à faire un saut qualitatif dans ce domaine ?
– Quels sont les défis que l'Afrique doit relever en matière d'innovation ?
– Quelles doivent être les grandes priorités pour le continent à ce niveau ?

Et quelles formes de partenariats panafricains promouvoir pour permettre aux pays africains d'apporter une réponse collective à cette problématique ?

Les réalités

La réalité de l'innovation en Afrique révèle l'existence de plusieurs facteurs qui empêchent les pays du continent à disposer d'écosystèmes nationaux forts en matière d'innovation. Il s'agit en particulier des réalités suivantes :

– La crise structurelle de l'école, à travers tous ses étages, du fondamental au supérieur en passant par le primaire et le secondaire, qui persiste dans de nombreux pays et qui rend difficile la production d'une masse critique d'élites scientifiques, la formation de compétences pouvant couvrir les besoins de nombreux secteurs vitaux de l'activité économique et corrélativement de bâtir de véritables centres dédiés à la recherche scientifique et technologique à la mesure des défis que les économies et les sociétés Africaines en cette matière.
– L'absence d'un intérêt réel des États pour la promotion de l'innovation.

- Des moyens très faibles consacrés au financement de la recherche scientifique et technologique se traduisant par des parts dérisoires de la recherche-développement dans le PIB des pays africains.
- Des liens très faibles entre les entreprises et les universités portant sur la promotion de projets communs dont l'objectif est de déboucher sur des innovations majeures utiles pour les deux parties.
- L'absence d'un statut spécifique de l'inventeur.
- L'éclatement et la dispersion des rares institutions dédiées à l'innovation, offrant l'image de semblants de systèmes de recherche scientifique et technique et d'innovation composés de chercheurs et d'inventeurs « isolés » et des recherches et d'innovations déconnectées des réalités de l'économie, de la société et des territoires.
- Quand ils existent, les dispositifs d'encouragement de l'innovation sont l'objet d'une gouvernance inappropriée découlant de procédures complexes et d'inefficience des modalités de suivi, d'évaluation et de contrôle.
- La non-structuration de la recherche scientifique et technologique et de l'innovation dans le secteur privé.
- Le cloisonnement de l'innovation entre les secteurs public et privé en raison de l'absence de passerelles entre la recherche publique et la recherche privée.
- Les difficultés à mettre en place des politiques publiques appropriées pour attirer les scientifiques et les inventeurs africains de la diaspora.
- Et, l'existence d'un déficit de coordination des programmes dédiés à l'innovation à l'échelle panafricaine avec toutes les conséquences qui en découlent en termes de convergence des programmes, de cohérence globale des stratégies et de mutualisation des ressources humaines et financières.

Il découle de toutes ces réalités, la fuite des cerveaux africains à l'étranger, le déficit d'entreprises innovantes et les faibles classements de l'Afrique au niveau des indicateurs internationaux les plus pertinents dans ce domaine, notamment la part des dépenses publiques allouées à la recherche scientifique et technologique et à l'innovation dans le PIB des Nations Africaines, la part des scientifiques et inventeurs africains dans le Monde, leurs parts dans les publications scientifiques de référence et dans les brevets d'innovation.

La conséquence de toutes ces réalités est l'aggravation de la dépendance technologique du continent et son impact en termes de perte de la souveraineté dans les domaines les plus stratégiques pour les populations, les entreprises et les États comme l'alimentation, la santé, l'énergie, le numérique, la sécurité, l'armement et les services essentiels aux ménages et aux entreprises, mais aussi les technologies de l'espace et l'intelligence artificielle.

Autant de défis que l'Afrique se doit d'affronter pour pouvoir peser sur le jeu futur complexe des relations économiques internationales du XXIe siècle.

Les défis

L'Afrique fait face à plusieurs défis dans le domaine de l'innovation. En effet, en plus des défis liés aux difficultés objectives pour les écosystèmes nationaux d'éducation, de formation, de recherche scientifique et technologique et d'innovation à produire un volume de savants et d'inventeurs en phase avec les besoins croissants des pays du continent, au partenariat Universités — Entreprises-Territoires très peu développé et d'un impact limité sur les rares écosystèmes nationaux d'innovation existants et au financement insuffisant et une gouvernance de la recherche et de l'innovation, quatre autres défis demeurent majeurs. Il s'agit en particulier des défis suivants :

- La production d'innovations à même d'aider le continent à gérer les risques attenants à l'émergence et au développement des nouvelles générations d'insécurités et de raretés (Les catastrophes naturelles découlant des changements climatiques, le stress hydrique, l'énergie, les médicaments, etc.).
- La valorisation des savoir-faire locaux par la promotion de systèmes d'innovation de proximité par le bas alliant intelligence économique et intelligence sociale des territoires. À cet effet, dans le contexte africain, une attention particulière doit être accordée au monde rural et notamment aux innovations ayant trait au développement des activités non agricoles en milieu rural. À ce niveau, l'objectif est d'offrir aux populations rurales, qui vont demeurer majoritaire dans le total de la population du contient jusqu'en 2010, les conditions objectives favorables pour vivre et investir dans leurs terroirs. Ce qui contribuera, à la fois, à améliorer le niveau de vie de ces populations et à réguler positivement la pression sur les terres à usage agricole proprement dites ainsi que les flux migratoires.
- La valorisation du capital immatériel des Nations Africaines, dont le continent regorge en abondance et dont l'introduction d'innovations majeures pourrait transformer ses composantes en leviers essentiels de production de richesses nouvelles, d'opportunités d'emploi et de création de valeurs.
- Et la gendérisation de la recherche scientifique et technologique et de l'innovation en vue d'élargir la base sociale des écosystèmes qui lui sont dédiées pour en démocratiser l'accès au plus grand nombre de femmes chercheurs et inventeurs.

Les priorités

Pour affronter ces défis principaux identifiés, l'Afrique devrait pour les affronter identifier ses priorités en matière d'innovation. Dans ce cadre, trois niveaux des priorités apparaissent importants.

Ce qui est urgent à court terme. Il s'agit des innovations liées aux transitions alimentaire, sanitaire et à la gestion de la raréfaction de l'eau.

Ce qui est possible à moyen terme et souhaitable long terme. Il s'agit des innovations pouvant contribuer à réussir les transitions climatique, énergétique, numérique, la cybersécurité, le développement des infrastructures portuaires, autoroutières, aéroportuaires, et la gestion durable des ressources.

Enfin, au-delà de l'importance de toutes ces priorités, l'Afrique ne pourra pas faire l'économie d'un autre défi qui au cœur de toute la problématique de l'innovation, c'est celui du développement de l'entrepreneuriat en Afrique. Car ce défi est à la base de toute dynamique potentielle d'innovation. En effet, l'observation empirique de cette problématique à travers une évaluation comparative montre qu'il y a un lien de cause à effet entre l'existence d'une économie forte portée par des systèmes productifs qui crée un volume important d'entreprises et la capacité d'un pays à innover et à mettre en place un écosystème national de recherche scientifique, technologique et d'innovation performante.

Aussi, et l'absence d'un observatoire mondial relatif à la démographie des entreprises, les estimations sur les créations annuelles d'entreprises dont nous disposons révèlent que les États-Unis créent environ 2 500 000 entreprises par an pour 350 millions d'habitants, la France entre 750 et 800 000 pour une population d'environ 70 millions et l'Afrique 1 620 000 pour une population totale de 1miliards 40 mille habitants.

Au regard de ces données, l'Afrique de l'innovation passe par la capacité des États, des entreprises et des territoires du continent à investir dans la promotion de l'entrepreneuriat à la fois public, privé et celui relevant de l'économie sociale et solidaire pour pouvoir susciter une dynamique durable d'innovation.

Quels partenariats panafricains pour l'innovation ?

Sachant qu'aucun pays africain ne pourra apporter des solutions durables et réellement efficaces, le continent se doit de bâtir une coopération panafricaine pour l'innovation. Cette coopération interafricaine doit partir des éléments suivants :

- Identifier les domaines prioritaires de l'innovation pouvant permettre à l'Afrique de réaliser à moyen et long termes sa souveraineté économique, technologique, alimentaire, sanitaire, énergétique, numérique, sécuritaire et militaire. À ce niveau, il a été recommandé de prendre appui sur les grands chantiers structurants panafricains en cours d'étude ou de mise en œuvre, comme le projet de Gazoduc Maroc-Nigéria, l'Initiative dite triple SSS portée par le Sénégal, la stratégique alimentaire portée par le Groupe OCP, la stratégie africaine du médicament pour ne citer que ces exemples ;
- Mettre en place des institutions, des instruments et des mécanismes dédiés appropriés à une mise en œuvre réussie des stratégies de coopération Sud-Sud macro-régionales en matière d'innovation en vue de permettre au continent de réaliser des raccourcis technologiques dans les domaines prioritaires de souveraineté. Dans ce cadre, il convient de rechercher les complémentarités et les convergences en matière de stratégies nationales d'innovation, et ce en vue de mutualiser les ressources humaines, financières et infrastructurelles ;

– Informer les acteurs des écosystèmes africains d'innovation, les former et les organiser autour de ces priorités et de ces stratégies ;

– Et enfin, mettre en place une instance panafricaine permanente au niveau de l'Union africaine permettant d'assurer un pilotage institutionnel unifié des tous les tenants et aboutissants des problématiques et des stratégies de l'innovation en Afrique. Cette instance aurai pour missions d'éclairer la décision, définir les priorités, assurer les complémentarités, réaliser les convergences des politiques nationales d'innovations, veiller à la mutualisation des ressources, assurer le suivi, l'évaluation et le contrôle de l'état d'avancement des projets, alerter sur la fuite des cerveaux, aider à mette en place les politiques d'attrait de la diaspora, mettre en exergue les bonnes pratiques qui favorisent la réalisation de raccourcis technologiques pour le continent, détecter les opportunités et organiser les partenariats entre l'Afrique et le reste du Monde en matière d'innovation.

C'est cette perspective qui donnera demain du sens et de la substance à l'Afrique de l'innovation.

**Conférence présentée au Forum International, UNESCO-UNION AFRICAINE, sur le thème : « Transformer les savoirs pour l'avenir de l'Afrique », Forum des chaires et partenaires, le 30 septembre-2 octobre 2024 à Addis Abeba, Éthiopie*

L'INTELLIGENCE ÉCONOMIQUE EN AFRIQUE ET DANS LE MONDE
ÉTAT DES LIEUX ET NOUVEAUX CHAMPS

L'intelligence économique est en train de connaitre une véritable révolution au niveau de sa définition, de ses missions et de ses pratiques, l'érigeant en un écosystème complexe, pluriel et intégré. Cet écosystème embrasse de nouveaux champs, avec des missions partagées, des outils spécifiques, et des instruments de plus en plus sophistiqués empruntés aux meilleurs apports offerts par la nouvelle révolution digitale et artificielle de l'ère postindustrielle. Cette révolution annonce la fin d'un modèle d'intelligence économique et l'émergence d'un nouveau.

L'émergence d'un nouveau modèle

Si ce nouveau modèle est porté par l'intelligence économique pratiquée par une diversité d'acteurs que sont les États, les territoires, les entreprises financières et non financières, les Conseils Nationaux de régulation, mais aussi les think tanks, les associations socioprofessionnelles, les armées, les services de sécurité, les centres de recherches et les universités, son champ d'action est en train d'embrasser tous les domaines de la vie : l'économie, la finance, la comptabilité, le management, le social, le climat, la politique, le Droit, la diplomatie, la stratégie, la défense, la sécurité, mais aussi la culture, le patrimoine, l'émotion et le sport, d'une part, et d'autre part elle embrasse de façon concomitante les dimensions micro, macro et méso de l'intelligence économique, élevant ainsi l'ensemble de l'écosystème en véritable totalité.

Ce n'est pas parce que tout est devenu économique, mais plutôt parce que tous les acteurs de ces champs de la vie sociale ont aussi besoin de plus en plus d'un écosystème d'informations approprié, pour prendre des décisions pertinentes et utiles, à finalités stratégiques et opératoires en vue d'accroitre leurs performances globales, d'étendre leur spectre d'influence et de rayonnement, de se protéger au présent contre les concurrents légitimes et les ennemis potentiels, et de se projeter sur l'avenir. Une telle perspective trouve sa raison d'être dans une donnée nouvelle.

Cette donnée nouvelle a trait au fait que l'intelligence économique devient au cœur des trois composantes essentielles de la richesse des Nations, des territoires et des entreprises, c'est-à-dire au cœur du capital naturel, du capital produit et du capital immatériel. En effet, quand on observe, les transformations majeures que connait le Monde nouveau en cours de formation, on constate que les pratiques de l'intelligence économique sont appelées au secours des politiques publiques et des stratégies des Nations visant la recherche de leur souveraineté, leur autonomie stratégique, leur influence, leur rayonnement, leur attractivité, leur compétitivité, leur sécurité et in fine de leur prospérité.

Le premier champ concerné par cette évolution est le capital naturel à partir de l'introduction des pratiques de l'intelligence des dépendances stratégiques. En effet, nous constatons, en particulier depuis la crise pandémique, la guerre Russie-Ukraine, la guerre au Moyen-Orient et les déséconomies externes causées par les impacts des changements climatiques que l'intelligence des dépendances stratégiques touche tous les éléments constitutifs du capital naturel, qu'il s'agisse des ressources naturelles, des ressources minières, des ressources énergétiques ou des ressources halieutiques.

L'intelligence des dépendances stratégiques, qui est le pendant de la souveraineté économique, englobe la souveraineté alimentaire, sanitaire, énergétique, minière, marine et hydrique, d'un côté, et l'intelligence climatique et stratégique de l'autre.

Le deuxième champ réside dans le fait que le recours aux pratiques de l'intelligence économique embrasse aussi et de façon renouvelée le capital produit dans toute sa diversité, l'industrie l'agriculture, l'agroalimentaire, la banque, la finance, l'assurance, la bourse et les autres services aux entreprises, aux ménages aux territoires et aux autres organisations publiques et privées comme la logistique, la maintenance, les transports, l'offshoring, le management des parcs industriels, des zones d'activité économique et des zones de libre-échange. Tous ces secteurs et acteurs sont en train de développer des pratiques de l'intelligence économique qui leur sont propres, et ce dans tous les domaines stratégiques pour eux. Parmi les pratiques développées par ces secteurs et acteurs la sécurité économique versus la protection des données sensibles contre l'espionnage, le piratage, la contre-influence, la contrefaçon et la cyberattaque, le benchmarking versus analyse des risques pays, le lobbying, l'influence, l'intelligence diplomatique, le marketing territorial et plus globalement l'intelligence économique des territoires, l'innovation et l'intelligence des composantes futures du capital produit, comme les industries électriques et électroniques, les technologies médicales, les techniques audiovisuelles, les télécommunications, le génie chimique, les biotechnologies, les technologies de l'espace, l'économie bleue, l'économie verte, l'énergie, l'eau et l'armement.

Mais le fait le plus important et le plus novateur des 10 dernières années est que les pratiques de l'intelligence sont en train d'englober à un rythme accéléré un levier fondamental de la richesse des nations, de leur État, leurs territoires, leurs entreprises et leurs autres acteurs qui est le capital immatériel. À ce niveau, les pratiques de l'intelligence économique touchent les 4 leviers du capital immatériel : le capital humain, le capital institutionnel, le capital social et le capital culturel.

Le capital humain dont les pratiques sont qualifiées par Philippe Clerc de pratiques « d'intelligence des ressources humaines ». Les piliers de ce capital sont l'éducation, la formation et l'innovation et les outils sont les cités de l'innovation, les pôles de compétitivité, les think tanks, les cercles de réflexion, les laboratoires des universités et les centres de recherches.

Le capital institutionnel dont les pratiques développées ont trait à la gouvernance intelligente dont les instruments sont l'administration électronique et l'aménagement numérique du territoire, l'intelligence juridique, le management des transformations et la conduite du changement dont les moyens sont la prévention des risques sociaux, la prospective et l'intelligence managériale.

Le capital social dont les pratiques sont l'intelligence sociale, l'ingénierie du dialogue social, de la négociation, de la concertation, de la médiation, la protection sociale et dans un tout autre domaine socioéconomique devenu important pour la création de la richesse l'intelligence sportive.

Enfin, le capital culturel qui s'appuie sur l'ingénierie de la préservation et de la protection du patrimoine et sur l'usage des meilleures pratiques de l'organisation, du management, de la promotion et de l'innovation dans les tous les domaines des arts et des industries culturelles et créatives (Édition, cinéma, théâtre, musique, peinture, musées, jeux électroniques, etc.)

Les défis à relever

Pour réussir à transformer ces champs en richesses réelles, les politiques d'intelligences économiques doivent relever trois défis.

Il y a d'abord le défi du temps. Ce défi comporte trois éléments concomitants. Le premier élément réside dans le fait que les États, les territoires et les entreprises évoluent aujourd'hui dans des contextes nationaux, continentaux et mondiaux marqués par l'obsolescence rapide des savoirs, des savoir-faire, des technologies, des métiers et des qualifications. Ce faisant, il n'y a plus de droits acquis pour les États, les territoires et les entreprises. Et pour survivre à la compétition, il est de la plus haute importance de s'armer du savoir, de la connaissance, de l'intelligence, du génie et de la veille stratégique ;

Le deuxième élément a trait à la profusion de l'information scientifique, technologique, économique, commerciale et financière amplifiée par les possibilités extraordinaires qu'offrent à l'heure actuelle les révolutions digitale et artificielle. Aussi, gérer cette profusion des flux d'informations en temps réel au regard de leur obsolescence rapide devient un défi majeur pour les États, les territoires et les entreprises dans le cadre de la valorisation de leurs avantages comparatifs, compétitifs et stratégiques ;

Le troisième élément réside dans le fait qu'aujourd'hui tout est en train de changer de façon à la fois rapide et structurelle dans le monde. Les changements en cours touchent, de surcroit, tous les paramètres de nos économies, nos sociétés, nos institutions, nos territoires et nos entreprises, la démographie, l'économie, le politique, le social, certes, mais aussi le culturel, les valeurs, la donne militaire, sécuritaire et géostratégique, le tout impacté et aggravé par les effets divers des changements climatiques.

Aussi, les chercheurs, les analystes, les experts et les institutions dédiées à l'intelligence économique sont-ils appelés à relever le défi de l'accélération du temps dans le Monde du XXIe siècle en repensant leur vision de toutes les problématiques qu'impose ce changement permanent, et ce en renouvelant en permanence les approches, les instruments et les pratiques de leur discipline.

Le deuxième défi est celui de bâtir un écosystème d'intelligence économique dans un Monde incertain. Les sources de cette incertitude sont multiples. Il y a les incertitudes géostratégiques, celles liées à la raréfaction accélérée des ressources stratégiques comme l'eau, l'énergie, les terres à usages agricoles, les forêts, les minerais — technologiques, la biodiversité, et es incertitudes institutionnelles, financières (dettes, fiscalité, rationalisations des choix budgétaires versus production de ressources nouvelles), celles liées à l'aggravation des impacts des dérèglements climatiques sur les économies, les sociétés, les entreprises et les territoires et celles découlant des nouvelles insécurités et générations de guerres.

Le troisième défi est celui lié aux exigences des grandes transitions du futur pour lesquelles il convient de promouvoir des pratiques de l'intelligence économique dédiées. Il s'agit en particulier des transitions climatique, énergétique, numérique versus intelligence artificielle, la transition des territoires versus gouvernance urbaine (Villes intelligentes, mobilité urbaine durable, sécurité urbaine, gestion durable des déchets solides et liquides, aménagement numérique du territoire), la transition économique (Changement du modèle économique : produire plus, mieux, durable et bon marché/produire des richesses/ préserver les ressources pour tenir compte des intérêts des générations futures/et mieux répartir les richesses produites) et la transition sociétale (nouvelles générations de citoyens, d'entreprises, de territoires, de gouvernants et d'élites politiques nouvelles valeurs/lien social, vivre ensemble versus cohésion sociale).

Les nouvelles interrogations

Quelles que soient, cependant, les avancées réalisées par cette discipline du savoir économique, la dynamique actuelle que connait l'intelligence économique pose plusieurs interrogations dont les réponses vont conditionner les évolutions et les configurations futures que ses pratiques vont connaitre. Ces interrogations sont au nombre de cinq :

- Quelles informations produire par les États, les territoires, les entreprises, les chercheurs et les professionnels de l'intelligence économique à l'heure de l'intelligence artificielle ;
- Quelles formations en intelligence économique promouvoir dans l'avenir par les universités, les centres de recherches, les think tanks et les professionnels des organisations publiques et privées ;
- Quels programmes de recherches fondamentales et appliquées mettre en place par l'ensemble de ces acteurs ;
- Quelles formes d'organisations des chercheurs et des professionnels de l'intelligence économique développer en Afrique et dans le Monde au vu des nouvelles réalités de nos économies, de nos sociétés, de nos territoires et de nos entreprises et aux regards des nouveaux que ces acteurs doivent relever en matière de pratiques de l'intelligence économique dans le Monde nouveau qui se profile à l'horizon ;
- Et enfin, quels partenariats panafricains et internationaux développer, sur les plans bilatéral et multilatéral initier pour accompagner les transformations profondes que

connait l'intelligence économique dans ses liens avec les mutations structurelles que l'Afrique et le Monde connaissent aujourd'hui.

Défis cruciaux que cette discipline, et à travers elle la communauté des experts, des chercheurs et des professionnels se doivent de relever dans les années à venir.

L'annonce le 8 décembre 2023 à Dakhla de la décision de créer un « Centre International de Recherches et de Formation en Intelligence Economique » dans le cadre d'un partenariat entre l'Association Internationale Francophone d'Intelligence Economique (AIFIE) basée à Paris, l'Association Internationale des Professionnels de l'Intelligence Economique (SCIP), dont le siège est aux États-Unis et le Forum des Associations Africaines d'Intelligence Economique (FAAIE), dont le siège est à Dakhla, concrétisée par la signature à Rabat le 14 mai 2024 de l'accord l'instituant officiellement, tout en contribuant à faire de Dakhla un futur pôle international d'excellence en matière de recherches et de formation en intelligence économique, va certainement permettre de mobiliser l'intelligence collective des membres de ce centre à la fois pour atteindre cet objectif et pour relever ces défis.

* * *Intervention de clôture de la 4e Rencontre du Forum des Associations Africaines d'Intelligence Economique, le 8 décembre 2023, Dakhla-Maroc.*

QUEL AVENIR POUR L'AFRIQUE DU NORD DANS UNE MONDIALISATION RÉGIONALISÉE ?

Le Monde traverse à l'heure actuelle une très grave crise. Cette crise est unique par sa nature, son ampleur, sa durée, son étendue géographique, ses formes de manifestation, sa complexité et ses impacts sur le plan humain, social, économique, financier, culturel, technologique, écologique, psychologique, spirituel et existentiel.

Du fait de ces spécificités, cette crise a jeté un regard universel nouveau sur l'état du Monde, en réveillant auprès des citoyens de toute la planète le sentiment profond de la vulnérabilité de la condition humaine et des limites de l'existence. Ce regard universel est porté par une conviction généralisée que les sociétés humaines sont entrées dans une nouvelle ère, marquée par les incertitudes de tout genre, les aléas divers, porteurs de risques majeurs de toute nature, et ce à tous les niveaux de la vie sociale quotidienne des populations et des territoires, menaçant ainsi la sécurité humaine globale dans son ensemble.

Cette crise révèle que le système mondial est à l'aune de l'émergence de nouvelles générations de guerres et de catastrophes à la fois naturelles et postindustrielles, non seulement celles, plus visibles, que sont les guerres de l'alimentation, de l'eau, de l'énergie, et des médicaments et des dispositifs médicaux, mais aussi celles plus complexes que sont les guerres de la connaissance et du savoir, de l'intelligence artificielle, de l'information, de l'image, de l'espace, du génie génétique végétal et animal et de sa forme d'expression suprême la plus extrême et certainement la plus ravageuse, qui est la guerre bactériologique.

Dans ce contexte particulier, les États de par le monde sont en train de payer à un prix fort leur gestion passé des questions de développement, parce que cette gestion s'est éloignée des vrais besoins, des vraies priorités et des vraies aspirations de leurs citoyens, leurs entreprises, leurs territoires et leurs sociétés civiles.

Elle dévoile, également, les coûts exorbitants de l'absence d'une gouvernance mondiale responsable, solidaire, et partagée, productrice d'actions réellement multilatérales, coordonnées, harmonieuses et convergentes des crises économiques, des pandémies, des catastrophes naturelles et des conflits.

Par ailleurs, cette crise nous a permis, au niveau individuel et collectif, comme à l'échelle des entreprises, des territoires, des Nations et des grandes régions du Monde de prendre conscience de l'accélération et de l'aggravation des irréversibilités dans l'équilibre entre l'Homme et la Nature du fait de la priorité accordée dans les politiques de développement à des choix économiques, technologiques et énergétiques centrés sur le productivisme et le consumérisme.

Elle nous a montré, également, que si nous voulons durer, nous devons changer radicalement nos rapports au vivant, à la nature, au temps et à la technique, au droit et à la politique, à la science et à la philosophie au savoir, à la connaissance et aux croyances.

Elle nous a sensibilisés surtout sur la nécessité de penser autrement les risques, les aléas et la survenance imprévisible et à répétition des phénomènes extrêmes et des épidémies, et à intégrer en conséquence dans les politiques publiques la gestion des situations d'urgence.

De ces constants objectifs est née de la conviction selon laquelle on doit, à l'échelle de chaque pays et au niveau mondial, changer nos modèles de développement en changeant radicalement nos modes de production et de répartition de la richesse et nos façons de consommer, d'échanger et de coopérer.

Pour ce faire, nos États et nos sociétés doivent changer leurs priorités, ainsi que les rapports entre l'économie, l'écologie, le social et le culturel à partir d'un socle commun de valeurs intégrant le coût de la vie humaine.

Or, ces changements, devenus indispensables, voire incontournables, ne peuvent s'opérer si on continue à les penser les questions de développement à partir des grilles d'analyse, des prismes et des solutions puisées dans les systèmes économiques, sociaux, politiques et culturels hérités du XXIe siècle.

Nous sommes, donc, appelés à penser le Nouveau Monde à bâtir pour les prochaines décades du XXIe siècle en s'appuyant sur de nouveaux paradigmes. Aussi, c'est à une véritable révolution politique, culturelle et mentale, mais aussi celle de la connaissance et du savoir à laquelle on doit se préparer et préparer nos sociétés et nos économies.

Les États-nations, les Institutions internationales et régionales de la famille des Nations Unies, les citoyens, les entreprises, et les territoires doivent être les acteurs de cette métamorphose indispensable, tout en demeurant en veille permanente, et être mobilisés, déterminés et engagés pour réussir cette révolution paradigmatique indispensable pour construire un Monde nouveau.

Quels enseignements tirer pour l'Afrique en général et l'Afrique du Nord en particulier ?

Pour répondre à cette question, il faut partir de deux constats majeurs :

1. Le premier constat réside dans le fait que l'Afrique est actuellement le théâtre d'une nouvelle génération de guerres qui est en train de produire des menaces d'un genre nouveau.

Il s'agit de l'émergence d'une nouvelle génération de pauvreté et de pauvres, de chômage et de chômeurs, de vulnérables et de vulnérabilités, de violences sociales extrêmes, de conflits ethniques, de guerres de religion, d'économie du crime, de trafics d'êtres humains, de piraterie et de migrations forcées. Ces réalités sont en train de conduire à la prolifération de mouvements terroristes, sur un fonds d'un développement inédit en Afrique du radicalisme que nourrit un fondamentalisme religieux croissant parmi les populations et pas uniquement les plus démunies.

Ces évolutions posent à l'Afrique des défis colossaux en termes de sécurité, de stabilité et de paix, indispensables pour le développement du continent.

2. Le deuxième constat tient au fait que l'Afrique recèle un potentiel important en matière de développement, avec des situations différenciées en termes de niveau, de genre et de rythme de développement, mais avec des problématiques communes à la plupart des pays du continent, hormis quelques rares exceptions. Ces problématiques sont :

Une désindustrialisation continue qui traduit la poursuite de la faible valorisation du potentiel de richesses dont regorge le continent et corrélativement la prédominance d'une économie primaire ;

- Un système bancaire, financier et boursier peu développé, insuffisamment modernisé et faiblement intégré à l'international ;

- Un enclavement du continent du fait d'un sous-équipement en termes de routes, d'autoroutes, de ports, d'aéroports, d'électrification, d'adduction d'eau potable et d'aménagement numérique des territoires, pour ne citer que les secteurs les plus stratégiques pour les économies et les sociétés africaines. Cet état de fait génère des difficultés réelles qui se dressent à la mobilité des personnes, des marchandises, des capitaux et des technologies en Afrique ;
- Un développement extraverti porté par quelques grandes puissances étrangères principalement la Chine, l'Inde, le Japon, la France, la Russie et les États-Unis et quelques grands réseaux transnationaux qui font et défont les vrais rouages des économies africaines.

La conséquence de toutes ces réalités c'est un développement du continent qui est non endogène, non inclusif, qui ne profite pas aux populations africaines qui ont le plus besoin, et qui met l'Afrique à une place sur la scène internationale qui est en dessous de son poids démographique, de ses potentialités en matière de ressources agricoles, hydriques, halieutiques, minières, énergétiques en sus de son patrimoine immatériel inestimable et ses apports à la civilisation humaine.

Au regard de ces potentialités, il est donc contre toute logique économique que i) l'Afrique continue à avoir la part la plus faible dans le commerce mondial, évaluée à environ 2 %, ii) de disposer d'un commerce intra-africain le plus faible au monde évalué à environ 11 %, au moment où cette part est de 22 % en Amérique, de 50 % en Asie et de 70 % en Europe, iii) de bénéficier de seulement 3 à 5 % des flux d'investissement direct étranger dans le monde, et corrélativement ne compter que pour 5 % dans le PIB mondial.

Face à ces réalités et dans le contexte de la géoéconomie du Monde nouveau, aucun pays africain ni aucun pays maghrébin ne pourra s'en sortir seul. D'où l'importance de pour l'Afrique et pour le Maghreb de construire une génération d'intégration régionale en phase avec les défis que leur lance un système mondial de plus en plus incertain.

L'intégration de l'Afrique du Nord dans une mondialisation régionalisée, quelles perspectives ?

Dans le cadre de la géostratégie mondiale du XXIe siècle, il est une vérité de la palissade d'affirmer que les chances futures du développement appartiennent aux Nations qui ont su et pu s'inscrire dans des dynamiques portées par de grands ensembles régionaux. Car, si dans ce cadre aucun pays ne pourra s'en sortir seul, son appartenance à une zone de co-développement lui permet d'accéder à un marché vaste, garantir une sécurité globale, bénéficier d'une défense collective, réaliser des économies d'échelle dans de nombreux domaines exigeants des moyens humains et financiers importants, renforcer sa présence dans le monde et son rayonnement international, accroitre son pouvoir de marchandage, de négociation et de plaidoyer, appartenir à un espace culturel et à une aire civilisationnelle commune et s'assurer une communauté de destin dans un monde incertain.

Conscients des enjeux de cette dynamique d'intégration régionale, certains pays sont allés beaucoup plus loin. C'est en particulier le cas de la Chine avec la signature en novembre 2020 du Partenariat Economique Régional Global, qui réunit les pays de la grande zone Asie-Pacifique allant de la Chine à l'Australie et la Nouvelle-Zélande en passant par l'Inde, le Japon et la Corée du Sud, regroupant ainsi le tiers de la population mondiale et de la richesse produite dans le monde.

Aussi, la mondialisation régionalisée est-elle devenue de facto un choix stratégique opéré par toutes les grandes puissances économiques anciennes et émergentes en tant que réponse à la complexité de la gouvernance des grandes questions dans un nouveau système mondial où la compétition a changé de nature et où émergent et se développent des insécurités d'un genre nouveau et de nouvelles générations de guerres.

Dans ce contexte, force est de constater que l'Afrique du Nord est la seule région au Monde où le processus d'intégration régionale est en panne et n'a connu aucun progrès à la mesure du potentiel de complémentarités, de la complexité des enjeux régionaux et mondiaux et de l'importance des défis lancés à tous les pays de la région en matière de développement, de sécurité et de stabilité.

Cette réalité explique pourquoi la part des 5 pays de l'Afrique du Nord réunis représente moins de 1 % dans le total du commerce mondial, que la part du commerce intramaghrébin dans le PIB de la zone n'est que de 3 % environ, et que la part des échanges de marchandises entre les pays du Maghreb dans le total de leur commerce avec le reste du Monde ne rentre que pour 5 %, au moment où cette part est de 16 % en Afrique, 19 % en Amérique latine, 51 % en Asie, 54 % en Amérique du Nord et de 70 % en Europe (FMI, 2018).

Par ailleurs, dans beaucoup de domaines, la coopération entre les cinq pays a cessé d'exister et dans d'autres elle connait même une régression depuis 1989, date de la création officielle à Marrakech de l'Union du Maghreb Arabe, formée par le Maroc, la Mauritanie, l'Algérie, la Tunisie et la Libye.

Or, depuis cette date, la région et le monde ont connu des transformations qualitatives notoires au niveau démographique, économique, politique, sociale, technologique, géostratégique, militaire, sécuritaire, et climatique.

De ce fait, l'évaluation de l'horizon maghrébin dans une mondialisation régionalisée nécessite de prendre en ligne de compte toutes ces réalités et ces transformations. C'est pour cette raison fondamentale que toute analyse de l'intégration au de l'Afrique du Nord doit partir d'un certain nombre de préalables.

1. Les préalables à l'analyse de l'intégration en Afrique du Nord

En effet, pour être intelligible, l'examen de l'intégration régionale en Afrique du Nord implique de prendre en considération deux préalables : un préalable méthodologique et un de nature stratégique.

Le préalable méthodologique part du postulat selon lequel il est aujourd'hui impératif de penser l'Afrique du Nord autrement, parce que, comme signalé auparavant, tout a changé ou est en train de changer de façon à la fois rapide et structurelle dans cette région du monde.

Aussi, les analystes, les experts, les décideurs nationaux et les organisations internationales et régionales sont-ils appelés à repenser leur vision de toutes les problématiques des pays d'Afrique du Nord, et ce en changeant radicalement de paradigme. Ce changement devrait, cependant, être fondé sur la notion de rupture avec les approches classiques du passé en matière d'analyse de l'état et de l'évolution du développement économique, social et institutionnel de la région. La raison principale de cette rupture est que ces approches sont restées marquées par une vision héritée de la situation de l'Afrique du Nord des années 60 et 70, une vision prisonnière des vestiges analytiques d'une guerre froide qui ne correspondent ni à la réalité du Monde du XXIe siècle et encore moins à celle de cette région d'aujourd'hui.

Le deuxième préalable est de nature stratégique. Il part de l'hypothèse selon laquelle, au-delà des modèles d'intégration régionale à bâtir par et pour les pays de la région, la grande question que se posent les acteurs et les forces vives de l'Afrique du Nord à l'heure actuelle est de savoir dans quelles sociétés les populations nord-africaines veulent-elles vivre ? Quels avenirs possibles elles veulent construire pour leurs peuples ? Et quel socle commun de valeurs il leur convient de promouvoir pour renforcer le lien social et le vivre ensemble à la fois au sein de la région et dans le cadre de ses relations avec le reste du monde.

Ces problématiques fondamentales de nature stratégique sont au cœur de toute la dynamique sociétale qui caractérise les 5 pays de cette région, qui marque les transformations que leurs populations connaissent, notamment au niveau des jeunes, des femmes et des diasporas, et qui caractérisent les conflictualités qui les traversent.

À ces niveaux, deux questions cruciales essentielles, impulsées par cette dynamique et ces transformations, émergent et se développent dans la région. Les réponses qui leur seront apportées conditionneront certainement demain les grands équilibres au sein des États et des Sociétés nord-africaines, et par conséquent les chances d'une intégration régionale réussie.

Si la réponse à la première question dépend de la capacité de chaque pays à réaliser un équilibre intelligent entre démocratie, modernité et religion, la deuxième est tributaire de la volonté des dirigeants de chaque pays du Maghreb à opérer un choix décisif entre une coopération bilatérale et multilatérale i) soit en favorisant le développement mutuel, la co-émergence, la prospérité partagée, et la sécurité régionale globale, ii) soit en poursuivant la politique de la recherche tous azimuts d'un leadership hégémonique, fondée sur une approche conflictuelle des rapports de voisinage et sur l'ingérence dans les affaires intérieures des États de la région.

C'est de la nature des réponses de chaque pays à ces deux questions fondamentales que dépendra la capacité future de toute la région à réguler positivement les réalités paradoxales qui la caractérisent.

2. Des réalités paradoxales

L'Afrique du Nord est marquée par des réalités paradoxales qui sont le produit des évolutions différenciées que chaque pays a connues depuis son indépendance. Ces paradoxes touchent toutes les dimensions du développement dans les 5 pays de la région.

2.1. Un développement économique, social et des infrastructures très contrasté

Tout en prenant en considération que l'Algérie, la Tunisie et la Libye sont depuis plus de 20 ans confrontés à des problèmes politiques, économiques, sociaux, sécuritaires et de stabilité aigus, ayant conditionnés leurs performances économiques et sociales et celles attenantes au développement des infrastructures, on relève que les résultats réalisés à ces trois niveaux par les cinq pays d'Afrique du Nord sont très contrastés.

En effet, l'évaluation comparative de ces indicateurs montre que le Maroc semble jouer le rôle d'une véritable locomotive de la zone et jouir d'une place réelle de leadership régional qui rayonne non seulement dans la région, mais aussi au sein de la Grande Zone Afrique-Europe-Monde Arabe.

Cette réalité apparaît à l'échelle de nombreux indicateurs. Ainsi, concernant le taux de croissance du PIB entre 1980 et 2023, le Maroc a vu ce taux se multiplier par environ 5,5 pour atteindre 141,1 milliards de $ US en 2023, soit le taux le plus élevé comparativement à l'Algérie et à la Tunisie, avec des taux de progression du PIB respectivement d'environ 4,1 et 4,5 ; le cas de la Mauritanie, dont le taux est de 7,3, s'expliquant par le niveau très faible du PIB qui avoisinait 1 milliard de $ US en 1980 (Banque mondiale, 2023).

Concernant l'indice de la compétitivité globale, le classement des pays du Maghreb en 2023 parmi les 141 pays évalués est de 85 pour l'Algérie, 68 pour le Maroc, 138 pour la Mauritanie et 93 pour la Tunisie (estimations basées sur les tendances du Forum économique mondial). Pour le Doing Business, le classement parmi les 190 pays en matière de facilité des affaires est de 155 pour l'Algérie, 185 pour la Libye, 53 pour le Maroc, 150 pour la Mauritanie et 78 pour la Tunisie (Banque mondiale, 2024). Concernant la gouvernance, mesurée entre autres par le niveau de la corruption, selon les données de Transparency International pour 2023, le classement sur les 180 pays évalués est de 97 pour l'Algérie, 172 pour la Libye, 70 pour le Maroc et la Tunisie et 141 pour la Mauritanie.

Au niveau des nouvelles technologies de la communication, le pourcentage d'internautes par rapport au nombre d'habitants en 2023 est de 49,5 % pour l'Algérie, 22,1 % pour la Libye, 63,2 % pour le Maroc, 20,4 % pour la Mauritanie et 54,7 % pour la Tunisie (UIT, 2023). Sur le plan de la mesure de l'état de la sécurité globale, mesurée par le taux d'homicide pour 100 000 habitants, les taux en 2023 sont estimés à 1,3 en Algérie, 2,7 en Libye, 1,1 au Maroc, 9,5 en Mauritanie et 2,9 en Tunisie (PNUD, 2024).

La conséquence de ces performances liées à l'environnement général des affaires est le renforcement de l'attractivité du Maroc comparativement aux autres pays du Maghreb.

Concernant, les indicateurs de développement social, si le taux de chômage des jeunes de 15 à 24 ans en 2023 est évalué à 22,5 % en Algérie, 38,0 % en Libye,, 19,0 % en Mauritanie, 34,5 % en Tunisie et 17,5 % au Maroc, la proportion de la population vivant dans une situation de pauvreté multidimensionnelle est estimée à 48,0 % en Algérie, 32,0 % en Libye, 75,0 % en Mauritanie, 54,0 % en Tunisie, et 1,5 % au Maroc (estimations du PNUD, 2023).

Concernant les infrastructures, la valeur de l'indice de la qualité portuaire, qui oscille selon les standards internationaux entre 1 pour les pays où cet indice est faiblement développé et 7 pour ceux où il est très développé, place le Maroc parmi les pays développés dans ce domaine, avec un indice de 5,1, au moment où cet indice est de 4,4 pour l'Italie, 5,2 pour la France, 5,3 pour le Portugal et 5,6 pour l'Espagne ; la moyenne mondiale oscillant entre 4,2 et 5,1 dans les pays membres de l'OCDE. Pour les autres pays du Maghreb, cet indice est de 3,5 pour l'Algérie, 3,4 pour la Tunisie, 2,7 pour la Libye et 2,7 pour la Mauritanie (Banque mondiale, 2023).

Le même constat est relevé au niveau de l'indice de performance logistique de 2023. Cet indice, qui évalue la qualité de l'infrastructure commerciale et des transports, oscille entre 1 pour une qualité faible et 5 pour une qualité élevée. À ce niveau, le Maroc est classé premier parmi les pays du Maghreb avec un indice de 2,45, suivi de l'Algérie avec un indice de 2,43, la Libye avec 2,27, la Mauritanie avec 2,28 et la Tunisie avec 2,12 (Banque mondiale, 2023).

Concernant les routes, le Maroc est classé en 2023 par Global Economy parmi les cinq premiers pays africains disposant de routes de qualité sur un total de 38 pays. L'Algérie est classée neuvième, la Tunisie dix-neuvième et la Mauritanie avant-dernière.

Au niveau des aéroports, le classement de 2024 du World Airport Awards de Skytrax place l'aéroport de Singapour-Changi en tête pour la dixième année consécutive, suivi de Tokyo-Haneda et Doha-Hamad International. En Afrique, le classement est dominé par les aéroports sud-africains de Cape Town, Durban King Shaka et Johannesburg. Pour le Maghreb, les aéroports marocains de Marrakech (5e) et Casablanca (9e) figurent dans le top 10 africain. Aucun autre aéroport maghrébin n'y apparaît.

Au niveau des infrastructures toujours, il y a lieu de souligner deux « success-stories » réalisées par le Maroc : la Ligne à Grande Vitesse Tanger-Casablanca et le Port Tanger Med. Ces deux réalisations lui confèrent une avancée dans les domaines du transport maritime et ferroviaire en Méditerranée et en Afrique. À ce même niveau, avec la construction en cours du Port de Dakhla-Atlantique qui sera achevée en 2029, les provinces du Sud du Maroc sont appelées à devenir un véritable hub international, reliant la grande zone Afrique-Europe-Atlantique et Asie par le Moyen-Orient, ouvrant la voie à ce qu'on pourrait qualifier de « Route de Dakhla ».

Toutefois, malgré ces performances, le classement du Maroc en matière d'indice de développement humain (IDH) reste insatisfaisant comparativement à celui de l'Algérie et de la Tunisie. En effet, en 2023, ce classement établi par les Nations Unies sur la base de la comparaison entre 189 pays est de 80 pour l'Algérie, 89 pour la Tunisie, 112 pour la Libye, 120 pour le Maroc et 160 pour la Mauritanie (PNUD, 2023). Cette contreperformance du Maroc et de la Mauritanie est principalement due à leurs résultats insuffisants en matière d'éducation et de santé, et ce malgré les avancées réalisées par ces deux pays ces dernières années.

Au regard de toutes ces réalités paradoxales, le coût du « non Maghreb » dans la mondialisation régionalisée actuelle est exorbitant. Il dépasserait de loin les 3 % du PIB des cinq pays de la région réunis, comme l'évaluent les experts.

2.2. Un décalage entre les réalités et les ambitions de l'intégration

Ce décalage s'explique par le fait que les acteurs clés de la région, c'est-à-dire ceux qui font et défont les décisions majeures dans la région, et hormis quelques exceptions de pays et d'acteurs, n'ont pas confiance en la construction maghrébine, n'ont pas de visibilité au regard de cette construction, ne fondent aucun espoir sur ce projet, et n'entreprennent pas d'actions de mobilisation des forces vives de la région autour de l'idéal maghrébin, le tout dans un contexte de désengagement des partis politiques, des centrales syndicales, des intellectuels et des organisations non gouvernementales issues des sociétés civiles vis-à-vis de l'intégration maghrébine.

Cet état de fait, s'opère alors que nous assistons à un déficit de connaissance des nouvelles réalités de la région et des transformations qui marques les économies et les sociétés Nord Africaines, un intérêt discontinu des universitaires et chercheurs de la région et une certaine indigence des centres de recherches dédiées à la problématique de l'intégration régionale..

À tout cela s'ajoutent deux faits importants :

- Des États et des sociétés Nord Africaines qui ne réunissent pas les conditions objectives de l'intégration, notamment l'absence d'une volonté politique commune, d'une vision partagée de l'intégration, d'une génération d'élites visionnaires, des genres de développement non homogène, d'un choc fondateur axé sur la concorde et la paix régionales et d'un noyau dur pouvant servir de locomotive et de ciment de l'entente à l'image du couple franco-allemand pour l'Union européenne, et qui aurait et devrait être le couple maroco-algérien.
- Le deuxième fait réside dans la prédominance chez certains dirigeants de la région d'une conception des rapports entre les États aux antipodes d'une ambition commune d'unité et d'une volonté partagée d'une construction d'un Maghreb solidaire. Ces rapports sont bâtis soit sur la peur du voisin, soit sur les intérêts immédiats, soit sur le réalisme politique et le pragmatisme dicté par la proximité géographique, soit sur l'ingérence ouverte ou dissimulée

dans les affaires intérieures des pays voisins portés par la permanence de velléité d'hégémonie héritée d'une période, et qui devrait être révolue au vu des enjeux et des défis régionaux colossaux qui guettent l'Afrique du Nord en termes de développement et de sécurité sur un fond de fragilités et des vulnérabilités communes.

2.3. Des fragilités et des vulnérabilités communes

L'ensemble des pays d'Afrique du Nord fait face à de nombreuses fragilités et de vulnérabilités qui portent en elles de réelles conditions de déstabilisation de toute la région. Il s'agit des menaces terroristes, de la montée de la radicalisation religieuse, des tentations régionalistes, de la croissance des inégalités sociales, territoriales et de genre, de l'instabilité de la sécurité régionale, de la résurgence des conflits ethniques, des tensions liées à la création artificielle de situations de guerres, de la dégradation des écosystèmes naturels du fait de la dilapidation du patrimoine génétique végétale et animale, de la perte de la biodiversité, et de la surexploitation des ressources hydriques, agricoles, halieutiques, forestières, minières et énergétiques, de la fracture numérique, de l'apparition de formes atypiques de migrations forcées, de l'accroissement de l'économie du crime et de la dépendance alimentaire.

Hormis le cas du Maroc, qui jouit d'une stabilité politique réelle, ces fragilités et ces vulnérabilités sont aggravées dans les autres pays par des situations institutionnelles différenciées.

2.4. Des situations institutionnelles différenciées

Le développement institutionnel dans les 5 pays d'Afrique du Nord dénote, en effet, de dynamiques politiques très contrastées.

L'Algérie est en situation d'incertitudes institutionnelles sur un fond de crise économique profonde, d'aggravation du malaise social impulsant un état d'instabilité politique et une évolution institutionnelle difficile ;

La Tunisie qui peine à réussir sa transition institutionnelle dans un contexte de difficultés économiques et financières aiguës, de défis sociaux cruciaux et de désespoir en l'avenir par une frange importante de la société.

La Mauritanie à la recherche d'une normalité institutionnelle, mais en proie avec des menaces de toute nature.

La Libye sans État, à la recherche de perspectives institutionnelles, mais qui reste otage de convoitises de diverses origines et où prolifèrent des trafics de tout genre.

Enfin, le Maroc, dont le trait le plus marquant réside dans la légitimité politique d'une monarchie populaire, et dans la centralité de l'institution du Roi au sein d'un système social national lui conférant un pouvoir à la fois temporel et spirituel, porté par un État multiséculaire enraciné dans l'histoire d'une Nation unie.

Cette donne institutionnelle fondamentale a permis au Maroc de réussir une synthèse maitrisée et un équilibre intelligent entre démocratie, modernité et religion.

Face à ces réalités paradoxales et à ces défis complexes, quelles perspectives s'offrent à l'Afrique du Nord actuelle en vue de gagner la bataille de la construction d'une intégration régionale future en phase avec les impératifs d'une mondialisation de plus en plus régionalisée ?

À cet égard, tout porte à croire que la clé de ces perspectives réside dans l'émergence au sein de la région d'une nouvelle culture politique.

Cette nouvelle culture politique, cependant, doit partir du postulat selon lequel, dans le contexte de la géoéconomie et de la géopolitique mondiale actuelle, aucun pays d'Afrique du Nord ne pourra s'en sortir seul.

Elle doit, également, être portée par une conviction généralisée des classes dirigeantes et des élites que seuls unis dans une grande zone Afrique-Europe-Monde Arabe à bâtir que les 5 pays pourront accroître leur pouvoir de négociation sur la scène internationale, mieux défendre leurs intérêts stratégiques, assurer une défense et une sécurité communes, mutualiser leurs avantages comparatifs sur le plan économique, lutter collectivement contre les nouvelles menaces qui guettent la région entière en matière de radicalisme, de terrorisme, de migrations sauvages et de crime organisé, et relever ensemble les défis de la transition climatique, énergétique et numérique.

Mais pour réaliser ces objectifs stratégiques, le Maghreb a besoin d'une nouvelle génération d'élites politiques plus visionnaires et plus soucieuses des intérêts de leurs peuples, capables de faire des différents et des conflits actuels des facteurs d'union et de solidarité, et transformer les inégalités d'aujourd'hui en matière de développement en inégalités productives et les défis du présent en opportunités pour l'avenir.

Ce sont ces conditions qui redonneront de l'espoir aux populations d'Afrique du Nord, qui créeront un contexte régional de confiance favorable à la mobilisation générale des acteurs et forces vives de la région autour de l'idéal maghrébin. Elles pourraient permettre, aussi, de servir de leviers politiques et culturels pour réaliser des raccourcis indispensables pour réaliser des raccourcis indispensables pour rattraper le temps perdu en matière d'intégration régionale. Ce sont ces conditions qui sauront, enfin, enraciner dans les sociétés de la région la culture de la concorde, du bon voisinage, du co-développement, et de la solidarité, valeurs indispensables pour construire une nouvelle Afrique du Nord unie et forte où règnent la paix, la sécurité et la prospérité partagée. Aussi, pour toutes ces raions réunies, et au regard de tout ce qui précède, il devient de la plus grande importance de revisiter l'Accord initial instituant l'Union du Maghreb Arabe. Une telle démarche devrait tracer pour la région une nouvelle ambition en matière d'intégration, en phase avec les impératifs et les défis du monde du XXIe siècle. Il ne s'agit plus d'un choix, mais d'une nécessité impérieuse, si le Maghreb, en tant qu'ensemble régional, ne veut pas rester en dehors de l'Histoire.

Dans cette perspective, et pour paraphraser l'éminent penseur tunisien, feu Hicham Djait, si pour l'Afrique du Nord le retour au passé est impossible, ses futurs sont multiples.

**Conférence annuelle donnée à l'Académie des Sciences de Lisbonne sur le thème « L'intégration économique en Afrique, perspectives maghrébines » le 26 novembre 2020, Portugal (les chiffres de cette conférence ont été actualisés).*

II
LA NOUVELLE QUESTION SOCIALE

REPENSER LA QUESTION DE LA SOUVERAINETÉ ALIMENTAIRE

L'un des faits marquants des économies et des sociétés du XXIe siècle réside dans le fait que la production et la reproduction des moyens d'existence et de subsistance d'une partie importante des sociétés humaines posent de plus en plus problème. Aussi, si le nombre de personnes touchées par la faim atteint près de 690 millions en 2019, et près de 750 millions par l'insécurité alimentaire grave, « 2 milliards de personnes dans le Monde n'avaient pas accès à une alimentation sure, nutritive et suffisante en 2021 » [11]. Par ailleurs, un enfant sur 10 dans le monde et un Africain sur trois souffrent aujourd'hui de malnutrition. Durant cette même année, on estime à « 144 millions des enfants de moins de 5 ans souffraient d'un retard de croissance, 47 millions d'émaciations et 38,3 de surpoids »[12]. La pandémie de la Covid 19 a aggravé cette situation à la fois au Nord qu'au sud de la planète[13], mais de façon plus rude en Afrique, en proie avec des impacts des dérèglements climatiques plus prononcés. Aussi, à l'horizon 2030, le nombre de personnes touchées par la faim pourrait dépasser 840 millions[14].

---

11. FAO, UNICEF, IFAD and WHO, 2021, "The State of Food Security and Nutrition in the World in 2020"

12. Idem

13. Driss Guerraoui, 2021, Regards sur un monde incertain, op.cit.

14. FAO, UNICEF, IFAD and WHO, op.cit

Dans ce contexte, aussi paradoxale que cela puisse paraitre, si l'alimentation commence à occuper une place stratégique dans le processus actuel de mondialisation en crise, l'agriculture devient une sphère appropriée de rentabilisation des capitaux et de diversification des opportunités d'investissements. C'est ce qui explique le regain d'intérêt, voir la ruée vers la terre par les grandes firmes transnationales, les grandes nations industrielles et les pays émergents comme la Chine, l'Inde, et le Mexique, ou d'autres pays encore comme l'Arabie Saoudite, et le Qatar, qui, soit achètent, soit louent d'importantes surfaces agricoles utiles, en particulier en Afrique et en Amérique latine.

De ce fait nous assistons au développement d'un phénomène inquiétant pour l'avenir de la sécurité alimentaire dans le monde, et qui préoccupe l'Organisation des Nations Unies pour l'agriculture et l'alimentation, c'est celui de l'achat massif de terres agricoles des pays du Sud par les investisseurs étrangers, notamment par quelques pays riches à la recherche de leur propre sécurité alimentaire.

Sur le plan du développement rural et agricole et des échanges des produits agricoles et alimentaires, un autre paradoxe se développe. D'un côté nous assistons à un phénomène inédit pour un système mondial qui réalise des progrès technologiques impressionnants, à savoir la coexistence de la faim au Sud et de la surproduction au nord de la planète, et de l'autre à la permanence de l'importance démographique des paysans dans les pays du Sud, qui représentent encore plus de 50 % de la population totale de nombreux pays de cette zone, et à l'opposé une intégration quasi achevée des paysans du Nord dans le système industriel et postindustriel, puisqu'ils représentent moins de 5 % de la population active occupée aux États-Unis et 2 à 3 % en Europe.

De telles réalités suggèrent de considérer les rôles respectifs de l'agriculture et les agriculteurs dans ces régions du monde et à poser en des termes nouveaux la question de l'alimentation et de la sécurité alimentaire. Ce d'autant plus que nous observons le développement de plusieurs phénomènes concomitants justifiants à leur tour la nécessité de cette réflexion prospective.

Le premier phénomène est lié au processus croissant de raréfaction des facteurs de production des biens agricoles et alimentaires, et à leur tête l'eau, les terres à usage agricoles, les terres de parcours, et les forêts, et ce dans un contexte démographique qui accroit la pression des hommes sur ces facteurs essentiels. La conséquence de ce fait est la tendance à la surexploitation de la terre, de l'eau, des terres de parcours, et des forêts pour répondre aux besoins quotidiens des paysans. Ce qui aggrave davantage cette situation, met ces populations dans un véritable cercle vicieux, rend leur accès à l'alimentation, et la mise en valeur de leurs exploitations agricoles devant une rude épreuve. Les changements climatiques que connait le monde sont en train de compliquer davantage cette réalité.

Le deuxième phénomène réside dans une dimension encore plus importante, voire très sensible pour l'avenir, c'est celle liée aux aspects sanitaires que pose aujourd'hui à nos sociétés la question de l'alimentation et de la production des biens agricoles nécessaires à la satisfaction des besoins nutritionnels quotidiens des populations de par le monde. En effet, nous assistons à l'heure actuelle à l'émergence de nouvelle génération de maladies et de pathologies liées aux modes de satisfaction des besoins alimentaires dominants dans les sociétés du XXIe siècle alimentaires et à la qualité des aliments consommés par les populations, et dont les conséquences sont très peu connus des scientifiques, comme le phénomène croissant de l'obésité en milieu d'enfants, qui commence à être l'objet d'attention de la part des centres de décisions, des scientifiques et des associations des consommateurs. Cette nouvelle donne pose la question de la veille sanitaire et de la sécurité des aliments dans nos sociétés.

Si telles sont les raisons majeures qui justifient l'importance de l'examen des questions liées à l'avenir de l'agriculture et de la sécurité alimentaire, dans quel contexte les agricultures Africaines évoluent par rapport à cette problématique, quelles sont les réalités du marché mondial des produits agricoles et alimentaires où elles sont insérées, quelles sont les contraintes majeures qu'elles affrontent, et les perspectives qui s'offrent à elles ?

Contexte et réalités du marché mondial des produits agricoles et alimentaires

1. Le contexte

Le marché mondial des produits agricoles et alimentaires connait des paradoxes et des dysfonctionnements qui empêchent un accès équitable de nombreux pays et des catégories pauvres de leurs sociétés aux produits alimentaires à des conditions de prix et de qualité satisfaisantes sur le plan sanitaire et approprié en termes d'impacts sur leur pouvoir d'achat[15].

Un marché fortement polarisé

Le marché mondial des produits agricoles et alimentaires connait, en effet, une forte polarisation et une réelle concentration sur le plan à la fois spatial et par produit. Aussi, l'essentiel de la production mondiale est réalisé par quelques grandes régions et pays, quelques producteurs constitués de firmes géantes de

15. Pascal Canfin, 2010, Quand le sud vend sa terre, in "Problèmes Economiques", numero 2988, La Documentation Française, Paris

l'agroalimentaire, et concerne les produits les plus stratégiques Pascal Canfin, 2010, Quand le sud vend sa terre, in "Problèmes Economiques", numero 2988, La Documentation Française, Paris comme les céréales, le sucre., les viandes et les produits laitiers, tels que le lait, le beurre et le fromage.

Ainsi, pour les exportations, les 6 premiers pays exportateurs sont l'Union européenne, les États-Unis d'Amérique, le Canada, le Brésil, la Chine et l'Australie. Pour les importations, les 6 principaux importateurs sont l'Union européenne, les États-Unis, le Japon, la Chine, le Canada et la Corée du Sud. Ces premiers pays exportateurs et importateurs sont à l'origine des 2/3 des échanges mondiaux des biens agricoles et alimentaires.

Un marché très libéralisé et des agricultures avantageusement subventionnées

À la polarisation-concentration du marché mondial des produits agricoles et alimentaires s'ajoute sa libéralisation qui profite essentiellement aux grands pays producteurs et aux grands réseaux transnationaux de l'agroalimentaire. Corrélativement les pays non producteurs, constituant une part importante du marché mondial, voient leur dépendance alimentaire s'accroitre et leurs déficits en produits agricoles stratégiques se creuser. À titre d'exemple, d'après les prévisions de la FAO, le déficit en céréales des pays pauvres du Sud passera de 103 millions de tonnes en 1997-99 à 256M de tonnes d'ici à 2030.

Quand on sait qu'une majorité de pays africains sont fortement dépendants des exportations et/ou des importations de matières premières, y compris agricoles et alimentaires[16], et

16. - Revue Conflits, 2020, Géopolitique de l'alimentation, Numéro spécial de septembre –octobre, Paris
- Revue Problèmes économique, 2016, "Agriculture et alimentation", numéro spécial 3135 de juin, Paris

sont donc vulnérables aux chocs internationaux de prix et de demande liés à ces matières premières, le continent ne pourra pas être en mesure d'éliminer la faim d'ici à 2030. Cette s'est aggravée avec la crise pandémique de Covid 19 et le sera davantage avec la guerre Russie-Ukren.

À ce sujet, le récent rapport de 2022 de l'organisation OXFAM estime à plus de 827 millions les personnes touchées par l'insécurité alimentaire including en Afrique, y compris la Syrie et le Yémen. De même, le rapport de la FAO de 2021 estime que 21,00 pour cent de la population africaine sont touchés par la faim.

Selon les mêmes sources de la FAO, le nombre de personnes sous-alimentées en Afrique a augmenté de 195,00 millions à 281,6 millions entre 2005 et 2020. Cette situation s'est aggravée particulièrement pour l'Afrique subsaharienne, dont ce nombre est passé durant la même période de 179,2 à 264,2 millions de personnes[17].

Paradoxalement, malgré cette libéralisation, l'agriculture dans ces mêmes principaux producteurs, exportateurs et importateurs mondiaux des produits agricoles et alimentaires continue à être avantageusement subventionnée et soutenue. Dans certains pays les aides et les subventions atteignent des niveaux importants.

La conclusion à tirer est que les Américains et les Européens qui sont chantres de la libéralisation du commerce mondial des produits agricole et alimentaire sont les champions de la protection de leurs agricultures et du soutien de leurs agriculteurs.

La raison principale de ce soutien est de maintenir le niveau des revenus de leurs agriculteurs pour préserver leur pouvoir

---

17. FAO, 2021, perspectives de la récolte et situation alimentaire, Rapport mondial trimestriel de décembre, Rome

d'achat, d'assurer la souveraineté alimentaire de leurs pays et de pérenniser leur hégémonie sur le marché mondial des produits agricoles et alimentaires.

Un marché devenu incertain à cause des changements climatiques et de la pandémie de la Covid19.

La situation actuelle du système mondial montre qu'il y a un lien de cause à effet avéré entre la nature du modèle économique et social hérité du XXe siècle, les dérèglements climatiques et l'émergence de nouvelles pandémies. En effet, le modèle économique et social qui prévaut, de par le monde depuis le XXe siècle, parce que centré sur la priorité accordée au productivisme et au consumérisme, a conduit à une surexploitation effrénée des ressources agricoles, halieutiques, forestières, et hydriques à une échelle planétaire, entrainant des irréversibilités dans l'équilibre Homme-Nature. Ce déséquilibre se creuse d'année en année à cause de choix énergétiques et technologiques destructeurs de la nature en particulier et du vivant en général.

Par ailleurs, cette surexploitation s'est aggravé i) par une démographie galopante, ii) la poursuite sans limites de la compétition économique entre les anciennes puissances et celles émergentes, se disputant le leadership commercial, technologique et militaire mondial, iii) et une gouvernance nationale et mondiale des questions de développement, hormis quelques rares exceptions de pays et de communautés, demeurant très peu et/ou pas soucieuse de l'équilibre indispensable à réaliser et à maintenir entre la terre et les Hommes, par et pour la sauvegarde de la biodiversité des écosystèmes naturels, et la préservation du patrimoine végétal et animal mondial.

Il n'y a aucun doute, et de nombreuses études sérieuses indépendantes le prouvent, c'est la rupture de ces équilibres qui est à la base du développement des nouvelles générations d'insécurités alimentaires, hydriques, énergétique, et de leurs conséquences sur l'évolution épidémiologique dans le monde, ainsi que sur l'accélération des catastrophes naturelles, des phénomènes extrêmes et des migrations climatiques. Les sècheresses et les inondations à répétition, la déforestation, la désertification, l'érosion des terres, la fonte des glaciers, la disparition d'espèces vivantes animales et végétales, la déstabilisation de la vie dans les fonds marins et l'émergence de nouvelles maladies ne sont que les manifestations visibles de cette logique qui laissent derrière elle la détresse, la désolation, et la misère humaine.

Cette logique autodestructrice est en train de nous conduire à un monde incertain, où le développement d'irréversibilités écosystémiques, écologiques, technologiques et sociales est très préjudiciable à moyen et long termes pour la sécurité humaine globale, notamment alimentaire.

C'est ce qui explique les réalités préoccupantes de l'agriculture et de l'alimentation dans le mode à l'heure actuelle.

2. Les réalités

Quelques chiffres de la FAO et du PAM apportent un éclairage pertinent sur les réalités actuelles et les défis futurs de l'agriculture et de l'alimentation dans le monde :

- Il y aurait actuellement environ 1,3 milliard de paysans dans notre planète qui font vivre quelque 2,8 milliards de personnes vivant de la terre ;
- 30 pays sur 194 seraient aujourd'hui en situation d'urgence alimentaire ;
- La part des petits agriculteurs parmi les personnes souffrant de la faim dans le monde est de 50 %, dont 20 % sont des paysans, 10 % sont des éleveurs, et 20 % sont des paysans pauvres vivant dans les centres urbains et périurbains ;

– 1 milliard de paysans dans le monde ne disposent pas de moyens techniques pour travailler leurs terres ;
– Sur les 22 milliards de dollars promis par la Conférence sur la sécurité alimentaire mondiale en 2008, seuls 2,5 milliards ont été effectivement versés sur la sécurité alimentaire mondiale en 2008, seuls 2.5 M ont été effectivement versés ;
– Les cultures destinées à la production des carburants représentent 3 % des surfaces agricoles mondiales ;
– L'agriculture est responsable de 18 % des émissions de gaz à effet de serre ;
– L'érosion et la salinisation se traduisent par une perte annuelle de 20 % d'hectares à usage agricole dans le monde, soit 1,3 % des terres agricoles mondiales ;
– Enfin, la planète perd chaque année environ 100,00 km^2 de terres agricoles. Ce faisant, la surface agricole utile par personne va passer de 0,32 ha en 1960 à 0,12 ha en 2050. À cet horizon, la planète aura à nourrir plus de 9 milliards de personnes.

Quelles sont les réponses apportées à ces réalités ?

1. Les pistes nationales

– Accroitre les superficies à usage agricole cultivées ;
– Accroitre les rendements des cultures ;
– Accroitre la fréquence des récoltes par la recherche de nouvelles variétés et en développant des cultures hors saison.

2. Les pistes préconisées par les institutions internationales

– En mai 2005, tenue de la réunion du Comité de la sécurité alimentaire mondiale ayant débouché sur la mise en place sous l'égide de la FAO d'un plan d'action mondial ;

- En juin 2005 a été organisée à Rome une marche mondiale en faveur de l'éradication de la faim dans le monde ;
- En septembre 2006, une évaluation à mi-parcours du plan d'action du sommet mondial pour la sécurité alimentaire ;
- Le Comité de la sécurité alimentaire mondiale et le G20 agricole se sont réunis en 2010 à Paris. Ils ont recommandé aux États de prendre trois mesures :
    - Élaborer des plans de prévention des catastrophes naturelles ;
    - Prendre des mesures de sécurité pour garantir les approvisionnements en période de crise, adopter une approche de l'aide alimentaire qui tient compte des situations locales ;
    - La promotion d'une bonne gouvernance nationale capable d'assurer la sécurité alimentaire ;
    - Faire avancer la question du droit à l'alimentation.
- Pour l'Afrique, le nouveau partenariat pour le développement de l'Afrique a proposé une « révolution verte », déjà lors du sommet africain sur les fertilisants, organisé au Nigeria en juin 2006. Ce sommet préconise, en particulier, de valoriser les savoir-faire locaux s'appuyant sur les systèmes agricoles territorialisés, avec des financements appropriés et adaptés et une organisation des filières fondée sur les pratiques de l'économie sociale et solidaire.
- Une chose importante à signaler à ce niveau, ce sont les enfants qui sont et seront les plus touchés par la dégradation des conditions de la production agricole et alimentaire, notamment en Afrique, continent qui va subir de façon plus prononcée les impacts divers des changements climatiques ainsi que des nouvelles générations de pandémies et d'insécurités. C'est pour cette raison que les enfants doivent être une priorité dans les programmes alimentaires de par le monde.

3. Quelles solutions pour l'Afrique?

Les besoins alimentaires en Afrique varient considérablement d'une région à l'autre et entre les pays d'une même région du monde. Cela signifie que les approches de la sécurité alimentaire doivent être adaptées à chaque situation. Dans l'ensemble de l'Afrique, cependant, la croissance démographique, la pauvreté et les capacités de production agricole sont des facteurs critiques lorsqu'on considère la sécurité alimentaire. Or, si comme on l'a noté auparavant, l'insécurité alimentaire a augmenté en Afrique ces dernières années, c'est aussi parce qu'on assiste dans le continent à l'augmentation des conflits, à l'aggravation des phénomènes climatiques extrêmes et au ralentissement de la croissance économique. Il est donc urgent d'agir sur ces déterminants fondamentaux de la sécurité alimentaire et de la nutrition. Les conflits et l'insécurité sont et restent les deux principales causes de la faim, de l'insécurité alimentaire et de la pauvreté en Afrique. Ils ne conduisent pas seulement à l'insécurité alimentaire, mais peuvent également devenir des multiplicateurs de conflits et des vecteurs d'autres problèmes, en particulier dans les situations fragiles et de post-conflits. Ils contribuent souvent à la fragilité et à l'affaiblissement des institutions, sapant ainsi les bases de la démocratie.

Par ailleurs, le développement des ressources humaines est essentiel pour la sécurité alimentaire en Afrique. Une population éduquée et informée est un levier essentiel pour toute politique et stratégie visant à réduire la pauvreté, à réguler positivement une croissance démographique excessive, à stopper la dégradation de l'environnement et les autres facteurs qui sont le plus souvent les causes directes de la faim, comme le déficit de protection sociale et l'état de la santé des mères et des enfants en Afrique. Cela est particulièrement vrai dans les pays du continent à faible revenu et à déficit alimentaire, où il est urgent de développer les capacités humaines et d'accroitre les connaissances et les informations sur la production alimentaire.

Les technologies de la communication peuvent, également, jouer un rôle décisif dans la promotion du développement des capacités humaines pour la sécurité alimentaire en Afrique. L'expérience montre que le développement agricole durable repose moins sur les intrants matériels (par exemple, les semences et les engrais) que sur les personnes qui participent à leur utilisation. Les investissements dans les intrants scientifiques et matériels pour la production agricole portent peu de fruits sans investissements parallèles dans les ressources humaines.

C'est pour cette raison fondamentale que la croissance économique est essentielle, mais pas suffisante pour réduire les retards en matière de développement. Une croissance élevée ne se traduit pas automatiquement par une amélioration du bien-être des plus pauvres, car les fortes inégalités empêchent les pauvres de bénéficier de la croissance économique.

De plus en plus d'éléments montrent que les programmes de protection sociale contribuent efficacement à réduire la pauvreté et l'insécurité alimentaire, à améliorer la nutrition et le capital humain, ainsi qu'à réduire les inégalités sociales, économiques et politiques.

Les programmes de protection sociale permettent non seulement de réduire la pauvreté et l'insécurité alimentaire, mais aussi de s'attaquer à leurs causes. La mise en place d'un environnement favorable est essentielle. Les régimes sont parfois inscrits dans la loi, parfois non. Cependant, la coordination et l'alignement des différents régimes restent un défi pour les gouvernements.

Enseignements pour l'avenir

De ce qui précède, il s'avère impératif de tirer deux enseignements majeurs pour l'avenir, ayant une portée pour la question agricole et alimentaire de l'Afrique.

1. Adopter une nouvelle vision de la question agricole et alimentaire

Cette vision devrait s'articuler autour de deux principes directeurs :

Changer de modèle agricole

Ce changement nécessite de passer d'une agriculture marchande productiviste à une agriculture durable fondée sur une nouvelle génération de mode d'organisation des activités agricoles qui permettent aux agriculteurs et aux agricultures Africaines de produire plus, mieux et durable avec moins de terre, moins d'eau, moins d'énergie fossile, moins de pesticides et d'engrais chimiques ; C'est à dire avec plus de biodiversité, de qualité nutritive et d'énergie propre, le tout dans le cadre d'une finalité première qui est la satisfaction prioritaire des besoins des populations.

Changer de modèle de consommation alimentaire

Ce changement impose de passer d'un système de satisfaction des besoins fondée sur le gaspillage et l'anarchie nutritionnelle à une alimentation équilibrée et responsable. Ce modèle de consommation implique quatre conditions : i) former et éduquer les citoyens à ces nouvelles pratiques de consommation, ii) les informer sur les bienfaits pour l'Homme et la Nature de ces pratiques de consommation, iii) Organiser les filières de production et les réseaux d'échange autour de ces pratiques, iv) et user des nouvelles technologies de l'information et de la communication, notamment les médias et les réseaux sociaux pour mobiliser les citoyens et leurs associations de défense des consommateurs, ainsi que celles des parents des élèves de s'ériger en véritables contre-pouvoirs et coalitions à la faveur de ce nouveau modèle de consommation et de production.

Mais comme cette problématique est mondiale, la réussite de la mise en œuvre des nouvelles générations de politiques agricoles et de stratégies alimentaires conformes avec cette nouvelle vision exige une gouvernance internationale coordonnée et solidaire, impliquant les producteurs et responsabilisant les grands réseaux transnationaux de l'agroalimentaire.

2. Mettre en place une gouvernance mondiale maitrisée et coordonnée de l'ère du vivant

Nous assistons à l'heure actuelle à une véritable révolution agricole portée par les nouvelles technologies agrobiologiques appliquées au génie génétique végétal et animal. Cette révolution, qui annonce des transformations profondes des habitudes alimentaires dans les sociétés du XXIe siècle, est sensée répondre à l'impérative anticipation de la réalisation des conditions technologiques pour nourrir une population mondiale qui dépassera les 9 milliards de personnes à l'horizon 2050.

Cette nouvelle révolution agrobiologique s'oriente vers le développement de la consommation d'espèces végétales et animales, en particulier, les insectes, en tant que substituts aux viandes et aux poissons. Ces biens alimentaires de substitution constituent des pistes sérieuses sur lesquelles travaillent actuellement les experts de l'Organisation Mondiale de l'Agriculture et de l'Alimentation pour assurer la sécurité alimentaire future de la population mondiale à cet horizon.

Il y aurait, d'ores et déjà, quelque 1400 espèces qui seraient consommées en Afrique, en Asie et en Amérique latine. La

Chine, le Japon, l'Afrique du Sud, la Thaïlande et le Mexique sont parmi les plus importants pays consommateurs de ses nouveaux produits alimentaires.

Le premier Congrès Mondial consacré à cette question a eu lieu en 2012 à Rome. Autant dire que l'avenir alimentaire que nous préparent les sciences du vivant semble s'appuyer sur ce nouveau pilier de la sécurité alimentaire. L'Afrique ne peut pas rester insensible à cette (ré) volution, et à ce futur possible pour nourrir ses populations, et notamment ses enfants. C'est pour cette raison éminemment stratégique qu'une gouvernance mondiale maitrisée et coordonnée de l'ère du vivant apparaisse indispensable.

**Contribution au side event de la conférence mondiale des Nations Unies sur le thème « food insecurity in Africa: strategies for ensuring child-sensitive social protection », organisée le 9 septembre 2021 par le Conseil International d'Action Sociale en partenariat avec la FAO, le WFP, l'UNICEF, l'UNED, le KNCSW and l'African Platform for social protection.*

LE PARADIGME DE L'EMPLOI
LES TRANSFORMATIONS INDISPENSABLES

Les bouleversements que connait le Monde sous les effets postérieurs à la crise pandémique générée par la covid19, des guerres Russie-Ukraine et Israël-Palestine en cours, de l'aggravation des impacts des changements climatiques sur toutes les dimensions de la vie sociale et économique quotidienne des citoyens, des entreprises et des territoires, amplifiés par l'essoufflement des démocraties et les fluctuations imprévisibles de la croissance, le tout sur un fond de renforcement des bases de la nouvelle révolution postindustrielle, annoncent la fin du modèle de social hérité du capitalisme du XXe siècle et l'avènement d'un nouveau.

Ce nouveau modèle est porté par de nouveaux modes d'organisations des activités productives et des échanges transformant radicalement le paradigme de l'emploi et produisant de grandes mutations sur le plan du rapport des économies et des sociétés au travail. Ces mutations touchent tous les aspects du fonctionnement des marchés nationaux de l'emploi pour englober le modèle social dans l'ensemble.

Les manifestations de ces mutations résident dans deux faits inédits. D'abord, le changement des déterminants de la compétitivité du fait de la nouvelle révolution postindustrielle et des progrès technologiques impressionnants qu'elle impulse, entrainant l'obsolescence rapide des savoirs, des savoir-faire, des qualifications et des métiers. Ce faisant, les entreprises et les territoires sont devant la nécessité de s'armer de l'intelligence et du génie de leurs acteurs pour innover s'ils veulent affronter une concurrence de plus en plus aigüe pour continuer à créer de la valeur et de l'emploi.

Ensuite, et ceci est encore plus important, pour lire l'avenir du paradigme de l'emploi, cette même révolution postindustrielle fait que les économies et les sociétés du XXIe siècle ont atteint une situation où elles sont en mesure de produire plus, mieux, moins cher et durable, mais avec de moins en moins de main-d'œuvre, qu'elle soit qualifiée ou pas.

Ensuite, et ceci est encore plus important, pour lire l'avenir du paradigme de l'emploi, cette même révolution postindustrielle fait que les économies et les sociétés du XXIe siècle ont atteint une situation où elles sont en mesure de produire plus, mieux, moins cher et durable, mais avec de moins en moins de main-d'œuvre, qu'elle soit qualifiée ou pas.

La conjonction de ces deux faits a amené Jermy Rifkin à affirmer que les sociétés humaines du XXIe siècle s'acheminent vers la fin du travail et vers une impossible réalisation conjointe et de la croissance et du plein emploi, même si on continuera à observer des situations de croissance avec création d'emplois dans les secteurs et pour les métiers travaillistes comme certains services aux ménages et aux entreprises comme les BTP, l'agriculture, l'offshoring, la maintenance, la sécurité, la restauration, l'hôtellerie, etc.

Si ces mutations suggèrent de repenser radicalement le paradigme de l'emploi, elles incitent à mettre en perspective de nouveaux leviers pour bâtir des politiques économiques en général et celles de l'emploi en particulier en phase avec ces réalités.

Si ces leviers portent sur toutes les dimensions des modèles économiques et sociaux dominants aujourd'hui dans le monde, parmi ces leviers, le passage du droit au travail au droit au revenu apparait au premier plan.

Du droit au travail au droit au revenu

En effet, la crise pandémique de 2020 et celle en cours, en entrainant la chute continue et vertigineuse du pouvoir d'achat de populations entières de par le monde, elles révèlent combien face à l'impossibilité objective de réaliser le plein emploi, la mise en place d'un revenu de base pour tous est vital pour combattre les dimensions visibles et cachées des détresses humaines, des fractures sociales, de la pauvreté extrême et des vulnérabilités criantes qui touchent de larges pans des laissés pour compte de la société.

Ces modalités d'expression de la crise actuelle se diversifient, s'intensifient et s'étendent pour toucher de plus en plus les salariés des secteurs publics et privés, les travailleurs du secteur informel, les classes moyennes, les retraités, les paysans, les étudiants, les migrants et les femmes Chefs de ménage. Elles prennent des formes variées et se complexifient du fait de l'exacerbation du phénomène inflationniste et son corollaire la détérioration du pouvoir d'achat.

Plus grave encore, cette crise est en train d'impulser l'émergence de nouvelles générations de pauvres et de pauvreté, de vulnérables et de vulnérabilités, d'exclus et d'exclusion, de chômage et chômeurs, de migrants et de migrations et ce parmi toutes les couches de la société.

Les contextes économiques nationaux difficiles et l'environnement international déstabilisé et incertain ne pourront plus offrir à ces nouveaux laissés pour compte de la crise actuelle des réponses suffisantes et durables à leurs situations sociales qui se détériorent. Ce d'autant plus, que ces catégories de la population ne pourront plus compter, à titre principal, sur les ressorts, les sources et les ressources traditionnelles qui leur permettaient, avant la crise, d'affronter les aléas et les insécurités de leurs conditions d'existence précaires (solidarité familiale, activités informelles de survie, migrations,).

Dès lors, l'instauration d'un revenu de base pour tous devient une nécessité pour la survie de ces citoyens et corrélativement pour la sécurité et la stabilité des pays concernés. Aussi, ce n'est plus une politique fondée sur le ciblage des bénéficiaires des programmes d'appui social aux personnes économiquement pauvres qu'il faut mettre en place, mais bel et bien une stratégie globale qui repense radicalement la vision, l'approche et les dispositifs classiques d'action sociale et de solidarité.

Par ailleurs, les dynamiques de luttes sociales qui découlent de cette situation suggèrent la recherche indispensable d'un équilibre intelligent entre le traitement social et la gestion économique du chômage et de la pauvreté. Car, l'objectif pour les États n'est plus, aujourd'hui, uniquement de trouver un travail rémunéré et stable pour tous les demandeurs d'emploi, notamment parmi les jeunes, qui arrivent annuellement sur le marché national du travail, mais de mobiliser tous les acteurs et forces vives de la Nation en vue de libérer leurs énergies en créant un environnement pouvant les inscrire dans un processus favorisant leur contribution à la production de richesses nouvelles. Car, celles-ci sont seules à même, d'un côté, de soutenir l'investissement productif créateur d'activités économiques et d'opportunités nouvelles d'emplois et d'autre part, en mesure de financer la solidarité sociale par des mécanismes de redistribution des richesses produites. L'objectif est d'assurer un revenu minimum aux catégories sociales les plus défavorisées, sans pour autant affecter négativement le rythme de l'investissement, ce dernier devant demeurer être élevé, en vue de continuer à produire plus de valeurs. C'est cette dynamique économique qui rend réaliste et faisable une synthèse réussie entre le droit au travail et le droit au revenu.

Cette révolution paradigmatique suppose, cependant, de changer dans la société la nature des rapports liant les individus, les groupes et les institutions aux mécanismes de l'emploi.

Un nouveau rapport au travail

Le changement des rapports au travail se manifeste, selon l'expression du Pr Hugues Puel, par le passage d'un comportement basé sur la dichotomie « donner-recevoir » à celui reposant sur le principe de « chercher — trouver » et « créer — innover ». Cela signifie une rupture fondamentale avec la gestion traditionnelle des problèmes de l'emploi. Cette rupture exige, cependant, une véritable révolution culturelle substituant à la rationalité de l'assistance, installant durablement l'individu dans la dépendance à l'État, la famille et la société, celle de l'initiative, de la prise de la prise en charge responsable du destin de soi, de la prise de risque et de l'innovation. Cette nouvelle rationalité suppose au préalable et en premier lieu, le relèvement du niveau d'éducation et de formation de toutes les composantes de la société, leur sensibilisation, leur mobilisation et leur organisation autour des valeurs que sous-tendent cette nouvelle rationalité. Elle nécessite, en second lieu, l'élaboration d'une stratégie nationale qui libère les énergies créatrices de toute la société, et rend possible une meilleure utilisation et valorisation de ses potentialités créatrices.

Il s'agit par cette stratégie d'enclencher une réelle dynamique sociétale rendant les citoyens les propres acteurs de leur sortie de la pauvreté et du chômage par leur transformation en contributeur à la production de la richesse et bénéficiaires directes.

Dans cette perspective, l'État doit accompagner cette dynamique par la création d'un environnement macroéconomique général sain, d'un climat des affaires incitatif et du développement d'une gouvernance économique responsable qui favorisent l'initiative au sens le plus large, la liberté d'entreprendre, l'égalité des chances de tous les citoyens et de toutes les entreprises devant l'acte économique, l'instauration d'une véritable concurrence loyale et juste, la lutte contre toutes les formes de rentes, de monopoles, de passe-droits et les autres déviances administratives, et à leur tête la corruption.

Ces leviers sont au cœur de la consolidation de l'État des institutions et du Droit, ainsi que de la démocratie économique et sociale. Ils sont essentiels pour essaimer dans la société les valeurs portées par cette révolution culturelle et sociétale. Le changement indispensable des rapports de la collectivité nationale à l'économie et au travail comme solution future possible aux impacts divers de la nouvelle révolution postindustrielle et de la crise structurelle du modèle de société et d'économie hérité du XXe siècle, qui semble s'installer dans la durée, en dépendant grandement. Delà la nécessité de changer, également, de modèle social pour accompagner les transformations profondes que connait le Monde nouveau qui se profile à l'horizon.

De la nécessité de changer de modèle social

Si au cœur du nouveau modèle social à bâtir, la généralisation du socle de protection sociale universelle est au premier plan, la gestion des relations professionnelles et sociales entre l'État et la Société, entre les entreprises et les organisations syndicales et entre l'État et les autres acteurs et les forces vives de la Nation (Les élites intellectuelles, les corps constitués, les représentants du champ culturel et les organisations de la société civile) le sont autant.

Cette dimension tire son importance de la nature cruciale du mode de gouvernance des conflictualités entre tous ces acteurs.

Dans ce cadre, on a relevé dans un récent travail[18], le besoin d'un modèle de dialogue social en phase avec les nouvelles réalités des économies et des sociétés du XXIe siècle et les défis que leur lance un Monde nouveau de plus incertain et empreint de nouvelles insécurités.

Si cette donne suggère l'émergence d'un dialogue social d'un genre nouveau, elle exige le développement dans la société d'une nouvelle génération de syndicalisme, de management des entreprises et de gouvernance et d'élites politiques à la fois au niveau central et territorial. Ceux-ci sont appelés à adopter des modalités diversifiées de dialogue social s'appuyant sur toutes les possibilités qu'offrent la médiation, les conventions collectives, les accords de branches et d'entreprises, le tout charpenté par la création et l'institutionnalisation de coordinations intersyndicales et patronales, avec des déclinaisons à l'échelle des secteurs économiques et des territoires.

Aussi, c'est à une véritable révolution de la culture entrepreneuriale, syndicale et de la gouvernance de l'économie et de la société à laquelle tous les acteurs politiques, économiques et sociaux sont appelés et se doivent de se préparer. Cette révolution doit être, également mentale, au sens où elle doit susciter l'indispensable passage de relations socioprofessionnelles au sein de l'entreprise et de la société fondées actuellement sur la rationalité du conflit à celles basées sur le principe des sacrifices partagés, des concessions réciproques et de la logique gagnant-gagnant.

Cette culture présuppose, cependant, la construction de convergences nationales autour des grandes questions liées à la préservation du pouvoir d'achat des citoyens, la compétitivité des

18. Voir notre ouvrage Regards sur un Monde incertain, Changer ou régresser ?, ibidem

entreprises, la protection sociale, la prévention et la résolution pacifique des conflits collectifs de travail. Ces convergences doivent, aussi, porter sur l'élaboration de diagnostics partagés de la situation économique et sociale, dans ses interactions avec les grands enjeux futurs de l'environnement international et des défis post-crise que nos économies vont affronter.

Cependant, pour pérenniser ce modèle, l'institutionnalisation du dialogue social entre les acteurs concernés dans ses formes à la fois bilatérales et multipartites s'avère indispensable. Car, c'est cette institutionnalisation qui permettra, dans la durée, la promotion de bonnes pratiques de la concertation et de la négociation sur la base de l'écoute mutuelle et du débat responsable, producteur de sens pour tous les partenaires économiques et sociaux, conciliant intérêts supérieurs de la collectivité nationale et intérêts catégoriels.

Vastes chantiers pour l'avenir et défis complexes qui nécessitent la réalisation de consensus dans la société entre tous les partenaires et acteurs du nouveau modèle social à bâtir.

PENSER LA JEUNESSE DE LA MÉDITERRANÉE DANS UN MONDE INCERTAIN
CONSTATS MAJEURS ET PISTES POUR L'AVENIR

La dynamique du changement, portée par les jeunes, que connait actuellement la région méditerranéenne, révèle cinq constats majeurs et inspire trois pistes pour l'avenir.

Constats majeurs

Cinq constats majeurs caractérisent la dynamique de changement que les économies et les sociétés méditerranéennes connaissent, dont les jeunes en constituent les acteurs. Si cette dynamique est le produit d'une évolution démographique différenciée, elle révèle un déficit de connaissance des transformations qu'elle impulse, elle dénote d'un accompagnement inapproprié par les institutions qui assurent l'encadrement des jeunes et d'une gouvernance en déphasage par rapport à leurs besoins, leurs attentes et leurs aspirations parce que produit d'une vision et d'approches portées par des politiques publiques bâties sur un paradigme dépassé du champ de la jeunesse.

1. Une dynamique démographique différenciée

En effet, selon les données du Plan Bleu d'octobre 2020, la méditerranée concentre une population de 522 millions d'habitants, soit 6,7 % du total de la population mondiale, dont 38 % résident au Nord et 62 % au Sud et à l'Est de la zone. Sur ces 522 millions, 157 millions sont des jeunes âgés de moins de 25 ans, dont 48 % résident au Sud, 27 % à l'Est et 25 % au Nord. À l'opposé, on dénombre en Méditerranée 65 millions de personnes âgées de 65 ans et plus, dont 65 % vivent au Nord, 16 % à l'Est et 19 % au Sud.

Selon la même source, toute proportion gardée et toutes choses étant égales par ailleurs, cette tendance va se poursuivre jusqu'en 2100. À cet horizon, plus de 75 % de la population de la Méditerranée seront composés d'habitants du Sud et de l'Est et 25 % seulement au Nord.

Au-delà de la géographie et de l'histoire commune, cette donne démographique future va conditionner toutes les dimensions cruciales de la construction méditerranéenne future, qu'il s'agisse du vivre ensemble, et son corollaire la mobilité des personnes, des idées, des capitaux, des marchandises et des services, de la pression sur les besoins essentiels, ainsi que sur la sécurité et la paix régionales et corrélativement sur la prospérité partagée et la gouvernance des grandes transitions du futur, par voie de conséquence sur la préservation des intérêts des générations du futur.

2. Un déficit de connaissance des réalités profondes des transformations en cours

Le 2e constat réside dans le fait que les sociétés méditerranéennes changent à de grandes vitesses sur les plans démographique, politique, économique, sociologique, culturel, climatique, sécuritaire et géostratégique, mais les efforts pour comprendre et accompagner ces changements n'arrivent pas à saisir les dimensions profondes, cachées et intimes des véritables des grandes mutations et transformations que ces changements produisent.

Aussi, malgré les efforts accomplis par les chercheurs et les experts, la zone méditerranéenne continue de connaitre un réel déficit de connaissance des réalités profondes des transformations en cours.

3. Des institutions d'encadrement des jeunes inappropriées

Le 3e constat est que les jeunes de la région méditerranéenne contestent et refusent dans leurs grandes majorités d'intégrer les champs et les cadres sociopolitiques traditionnels et sont en phase de produire des espaces et des lieux de vie nouveaux, originaux et atypiques qu'ils pensent pouvoir répondre à leurs attentes, leurs aspirations et leurs besoins, y compris d'expression symbolique.

Car, pour paraphraser le grand anthropologue Rémy Leveau, « les sociétés méditerranéennes sont devenues des sociétés de consommation de masse, alors que les institutions et les cadres sociaux et institutionnels dominants qui sont censés les encadrer sont restés imprégnés par la longue tradition et pratique des compromis gérés par les élites appartenant à des générations » qui ne sont pas en phase avec les nouvelles réalités de la jeunesse.

Cette réalité explique amplement pourquoi les institutions d'encadrement des jeunes en Méditerranée demeurent inappropriées pour faire de cette catégorie de la société un acteur de la construction de modèles de développement inclusif, participatif et durable accroissant les performances globales de toute la zone en valorisant les énergies créatrices de sa jeunesse.

4. Une gouvernance en déphasage par rapport aux besoins, attentes et aspirations des jeunes

Le quatrième constat réside dans le décalage, voire le fossé qui existe entre les changements que les sociétés méditerranéennes connaissent, et leurs modes de gouvernance.

Ce décalage a comme conséquence l'émergence et le développement en Méditerranée de formes nouvelles de contestation et d'indignation, de révolte et de révolution, portées par les jeunes contre les institutions de la société, qu'il s'agisse de la famille, de l'école, des partis politiques, ou des appareils de l'État.

L'enseignement majeur de cet état de fait est que l'on ne peut plus ni penser ni gouverner les sociétés méditerranéennes d'aujourd'hui, en reproduisant et en s'appuyant sur les approches et les modèles du passé. Tout se pense à ce niveau comme si les jeunes de la région appellent à un réel changement de cap en matière de gouvernance de leurs sociétés et de leurs économies.

À ce niveau, toutes les institutions semblent être interpelées par les jeunes, les partis politiques certes, mais aussi la société civile, l'école, l'entreprise, le syndicat, l'administration générale de l'état, la famille et les institutions de culte qu'il s'agisse des mosquées des églises, des synagogues, des temples et des autres lieux de spiritualité et du sacré.

C'est ce qui explique l'urgence d'une mise à niveau généralisée de la pensée, des institutions, des politiques publiques et de la gouvernance si on veut éviter aux jeunes des sociétés méditerranéennes les utopies destructrices et réunir les conditions de l'émergence de projets socialisés, participatifs, inclusifs, pacifiques, tournés vers l'avenir, projets à même de produire un réel espoir pour les jeunes de la région et en mesure de leur offrir une visibilité sociétale et une lisibilité politique capable de transformer les réalités actuelles des jeunes en acteurs d'un changement producteur de valeurs, en phase avec leurs inspirations en termes de liberté, de justice, d'inclusion, de participation, de cohésion sociale, de solidarité et de dignité. Mais pour ce faire, il convient de repenser radicalement le paradigme de la jeunesse.

5. Un paradigme de la jeunesse à repenser

Le cinquième constat, enfin, réside dans le fait que les politiques publiques de jeunesse dans toutes leurs composantes partent d'un paradigme qui est en décalage avec la diversité du champ de la jeunesse de la méditerranée et de la complexité des problèmes qu'il pose.

En effet, il n'y a pas une jeunesse en méditerranée, mais des jeunes insérés dans des cadres sociaux nationaux et territoriaux différenciés ayant des problèmes qui leur sont propres, comme il y a une diversité de catégories des jeunes posant à leur tour des problématiques spécifiques d'insertion, d'inclusion et de gestion de la conflictualité sociales.

En effet, à ce niveau, il y a lieu de noter qu'il existe cinq catégories de jeunes et de mode de gestion et de régulation de leurs rapports avec les différentes composantes de la société et de l'État en méditerranée.

- Il y a une catégorie de jeunes qui a choisi l'activité politique comme cadre de l'expression de ses angoisses, ses préoccupations, ses attentes, ses espérances et ses modes d'expression du changement de leurs situations et celle de leurs sociétés;
- y a une deuxième catégorie de jeune qui a choisi l'action dans le cadre d'organisations de la société civile dans les divers domaines relevant de leurs engagements citoyens : les droits humains, les droits de la femme, de l'enfant, des personnes à besoins spécifiques, de l'environnement, de la culture et de la sécurité humaine;
- Il y a une 3e catégorie de jeunes qui a choisi l'activité artistique dans toute sa diversité comme l'écriture, la recherche scientifique, la poésie, la musique, les arts plastiques, la danse, le théâtre, le cinéma, le sport pour

exprimer son être social et ses potentialités créatrices au sein de la collectivité.

- Il y a également une 4e catégorie de jeunes qui a choisi le champ religieux et spirituel pour chercher des réponses aux interrogations que leur pose leur vie sociale quotidienne dans leur quête du sens de leurs existences.
- Il y a aussi une 5e catégorie de jeunes qui a opté pour l'initiative entrepreneuriale pour libérer et valoriser ses énergies créatrices par l'action économique à la faveur de sa contribution à la richesse nationale ;
- Enfin, il y a une 6e catégorie de jeunes, certainement la plus importante, qui vit à la marge de la société du fait d'une situation sociale qui produit son exclusion, sa marginalisation et son état de précarité, de vulnérabilité, et corrélativement son mal-être, et dont la conséquence est la prolifération au sein de toutes les formes de déviations, notamment les activités illicites, la criminalité, la drogue, les formes clandestines de migration, et ses formes extrêmes, le suicide et la culture de la mort.

Par cette complexité et ces réalités, quelles pistes d'avenir pour les jeunes de la méditerranée ?

Pistes pour l'avenir

Trois pistes majeures semblent être en phase avec le monde incertain dans lequel évoluent les jeunes de la zone méditerranée. Ces pistes correspondent à trois types de changement indispensables : I) repenser le paradigme de la méditerranée, ii) l'importance de faire des jeunes des acteurs des nouveaux modèles de développement à bâtir et les leviers de la réussite des grandes transitions du futur, et iii) l'urgence de réinventer des modes de coopération entre les pays de la méditerranée en phase avec les nouvelles données du système mondial actuel, tout en faisant du capital immatériel le cœur d'une nouvelle génération de partenariat.

1. Repenser le paradigme de la méditerranée

En effet, notre vision actuelle de la méditerranée comme horizon de pensée et de vie commune ne semble pas correspondre ni à la complexité actuelle des économies et des sociétés méditerranéennes, ni aux transformations notoires que ces économies et ces sociétés connaissent ni aux nouveaux besoins, aux nouvelles aspirations et aux nouveaux défis des nouvelles générations de citoyens et de citoyennes de la méditerranée du XXIe siècle.

Car, pour ces nouvelles générations de citoyens et de citoyennes, une question fondamentale se pose : Que signifie aujourd'hui pour elles la méditerranée et que veut dire être méditerranéen pour un jeune aujourd'hui ?

- Est-ce l'appartenance à un espace géographique, à une histoire partagée et un héritage commun ?
- Est-ce la pratique d'un mode de vie porté par des formes spécifiques de satisfaction des besoins dans leurs formes d'expressions culinaires, vestimentaires, artistiques, musicales, spirituels, de construction du cadre bâti, et d'organisation de la vie sociale quotidienne, telle que l'organisation de la famille, du mariage, du divorce et même de l'humour et de la mort.
- Est-ce un socle commun de valeurs, ciment du lien social et du vivre ensemble en méditerranée.
- Est-ce des modèles de sociétés, d'économie et de rapports avec le reste du monde où cohabitent toutes les religions, les cultures et les civilisations de la méditerranée ?
- Ou bien, est-ce, enfin, un destin commun dicté par les défis futurs partagés ?

Au vu de la complexité de ces problématiques, notre vision et notre conception de la Méditerranée doivent radicalement changer.

Ce changement est indispensable si nous voulons être en phase avec les nouvelles réalités de notre région et notamment celles de nos jeunes, de leurs problèmes, de leurs besoins, de leurs angoisses, de leurs attentes, de leurs aspirations, de leurs espérances, à partir de leurs visions de l'avenir.

Aussi, sommes-nous aujourd'hui devant des défis d'un genre nouveau face auxquels nous devons mobiliser l'intelligence collective de tous les acteurs et forces vives des sociétés méditerranéennes, et à leurs têtes les jeunes.

Ce préalable est un appel à une meilleure connaissance de la méditerranée actuelle, de ses besoins, de ses défis et de ses futurs possibles. Il s'agit là de l'une des clés d'entrée essentielle à toute solution durable et efficiente aux nouvelles insécurités et aux nouvelles générations de guerres qui se profilent à l'horizon et qui guettent la méditerranée dans son ensemble, d'où l'importance de la deuxième piste d'avenir.

2. Faire des jeunes des acteurs des nouveaux modèles de développement à bâtir et les leviers de la réussite des grandes transitions du futur

À ce niveau, il y a un consensus généralisé que les sociétés de la méditerranée doivent construire de nouveaux modèles de développement plus inclusifs, plus participatifs, concilient production de richesses mieux réparties et préservation des ressources, et ce en produisant autrement, en consommant autrement, en commerçant autrement et en coopérant autrement.

Ce changement de modèles de développement permettrait aux jeunes de la méditerranée d'être les acteurs des grandes transitions du futur, en l'occurrence les transitions climatiques numérique, énergétique, économique et sociétale.

Il s'agit par la contribution des jeunes à la réussite de ces transitions, la réalisation d'un équilibre intelligent entre le niveau de développement, le genre de développement et le sens de développement en méditerranée.

Si cette perspective permet de répondre à une question fondamentale qui est celle qui se ramène à s'interroger dans quelle société nous voulons vivre demain en méditerranée, elle nous interpelle sur la nature du projet de société que nous voulons bâtir pour nos jeunes, avec nos jeunes et par nos jeunes dans la méditerranée de demain ?

3. L'urgence de réinventer des modes de coopération entre les pays de la méditerranée en phase avec les nouvelles données du système mondial

Les pays de la méditerranée ont besoin de réinventer des modes de coopération en phase avec les nouvelles réalités du système mondial actuel, tout en faisant du capital immatériel de la zone un levier central dans la construction d'une nouvelle génération de partenariat entre le Nord, le Sud et l'Est de la méditerranée.

Dire cela c'est, d'un côté, faire de l'éducation, de la formation et de l'innovation le cœur de la coopération future entre les pays méditerranéens, et d'autre part, faire de la qualité des institutions et de la construction d'un socle commun de valeurs partagées par les vecteurs de la gouvernance future des sociétés méditerranéennes.

Il s'agit de vastes chantiers et de défis colossaux que seule la mise en place de programmes régionaux d'échanges dédiés aux jeunes de la région est à même de constituer la base humaine pérenne de cette méditerranée du futur.

Il découle de tout ce qui précède deux conclusions majeures :

La première conclusion est de nature stratégique. Elle émane d'une intime conviction. Cette intime conviction réside dans le fait qu'à partir des études anciennes, des archives et des recherches qui font autorité, la méditerranée constitue réellement l'origine, le cœur, la mémoire et l'espace séculaire des rencontres des cultures et des religions du monde, l'érigeant en véritable berceau des grandes civilisations du monde, de leur synthèse, de leur permanence et donc de leur continuité et de leur renouvellement.

Ce pose alors une question prospective d'une grande importance que l'on peut formuler ainsi :

La méditerranée ne constituerait-elle pas une composante essentielle du futur possible d'un monde nouveau à bâtir dans le cadre d'une grande zone Afrique-Europe-Monde Arabe à construire, à partir d'un effort collectif commun des États et des sociétés méditerranéennes visant à réinventer la Méditerranéenne des siècles prochains, et ce en préparant les jeunes de cette zone à en être les acteurs principaux de demain.

Dans cette perspective, et c'est la deuxième conclusion, il est de la plus grande importance de préparer les jeunes de la méditerranée à réussir un équilibre intelligent indispensable entre les 3 dimensions fondamentales de leurs êtres sociale et sociétale. Ces dimensions représentent les 3 défis des sociétés méditerranéennes :

- Le défi de l'appropriation des nouveaux ressorts de la modernité ;
- Le défi de la gouvernance démocratique des sociétés méditerranéennes ;
- Et le défi lié à la production de réponses apaisées et ouvertes aux besoins légitimes de nature spirituelle, religieuse et

existentielle, et ceux liés aux conflits territoriaux hérités du passé, et ce pour réussi le combat commun vital contre les fanatismes, le radicalisme, les fondamentalistes, le racisme, l'antisémitisme, les replis identitaires et les tentations populistes destructrices et ravageuses de l'âme originelle des peuples de la méditerranée.

Tels sont les termes de la problématique cruciale et complexe que les États et les sociétés de la méditerranée se doivent de repenser avec leurs jeunes, par leurs jeunes et pour leurs jeunes, afin de mieux aborder le Monde nouveau qui se profile à l'horizon pour l'ensemble méditerranéen.

C'est dans cette perspective que les jeunes de la région pourront contribuer à écrire ensemble demain une nouvelle page de la nouvelle méditerranée, leur méditerranée.

Pour ce faire les jeunes méditerranéens ont besoin de nouvelles utopies et d'un nouveau rêve, et les États de la région ont besoin d'une nouvelle ambition partagée, portée par un projet méditerranéen nouveau mobilisateur à imaginer et inventer. Mais ce projet ne pourra réussir que s'il prend appui sur les échecs du passé, et que s'il tire les leçons et les enseignements des expériences et des conflits hérités, le tout in fine pour tracer les contours d'une méditerranée future possible profitable pour l'ensemble des Peuples Méditerranéens et de leurs jeunes.

* *Conférence prononcée lors de la 47e Session de l'Académie du Royaume du Maroc, organisée sur le thème « La Méditerranée comme horizon de pensée », du 24 au 27 mai 2024, Rabat-Maroc*

FEMMES, DÉVELOPPEMENT ET PRODUCTION DES VALEURS
CHANGEMENTS, PERMANENCES ET INTERROGATIONS NOUVELLES

La relation « Femmes, développement et production des valeurs, changements, permanences et interrogations nouvelles » revêt une grande importance sociétale pour le Maroc et la communauté internationale. Elle est d'une actualité brulante.

Cette contribution tente d'analyser la nature, le degré et le rythme des changements intervenus dans le rôle des femmes du point de vue de la contribution au développement des territoires et des communautés où elles évoluent et les valeurs qu'elles portent pour rendre possible cette contribution. À ce niveau, plusieurs aspects de ces changements seront mis en exergue à travers une typologie que nous proposons, ayant trait aux dimensions principales de cette problématique.

Cependant, parce que ces changements sont loin d'être uniformes, une mention spéciale sera réservée, d'une part, au long parcours qui reste à faire, notamment pour les femmes rurales et en direction des espaces restant encore insuffisamment occupés par les femmes et d'autre part aux valeurs qu'il convient de promouvoir pour combler les déficits et relever les défis à ce niveau.

Notre allocution se terminera par la mise en perspective d'un certain nombre d'interrogations que soulèvent les nouveaux rôles de la femme dans le développement et les valeurs leur correspondant, et ce au regard des nouvelles réalités des économies et des sociétés de notre temps.

Aussi, nos propos seront centrés sur trois éléments :

– Les constats majeurs

– Les mutations et les permanences

– Les interrogations nouvelles

Principaux faits

L'observation empirique de l'évolution de la relation femme-développement révèle plusieurs constats majeurs :

1. Le premier constat réside dans le fait que la contribution des femmes au développement est devenue aujourd'hui une réalité planétaire. En effet, nous observons, partout dans le Monde, du fait de la globalisation des problèmes économiques et sociaux et de la mondialisation des valeurs qui l'accompagne, qu'il y a de plus en plus un lien de cause à effet entre le niveau de développement des pays et la contribution des femmes à la croissance des performances globales de leurs systèmes productifs nationaux. Aussi, le changement des rôles économiques des femmes, bien que connaissent des rythmes différenciés, est devenu un phénomène universel et leur contribution au développement est désormais une réalité planétaire incontestable.

2. De ce fait, et c'est le deuxième constat, la problématique de la contribution des femmes au développement montre qu'avec les avancées réalisées issues de cette réalité, on est passé d'une réflexion où la femme est un objet du développement à une approche où la femme devient un acteur essentiel du développement.

3. Le troisième constat est que l'état du développement dans le monde révèle, qu'il n'y a pas, en tout temps et en tout lieu, de causalité mécanique entre le facteur religieux et

l'émancipation des femmes. L'expérience de nombreux pays d'Asie, comme l'Indonésie et la Malaisie, et d'autres de culture bien orientale évoluant en terre d'islam, témoignent de cette donnée très prometteuse pour les femmes, notamment du Monde Arabe et d'Afrique au sud du Sahara.

4. Le quatrième constat est que les changements constatés dans la relation femme-développement ne sont plus uniquement l'œuvre des États. L'émergence des sociétés civiles organisées montre que l'émancipation des femmes et leurs contributions au développement sont de plus en plus l'œuvre de nouveaux acteurs et de nouvelles institutions animées par les femmes, avec les femmes et pour les femmes.

5. Le cinquième constat tient au fait que les multiples initiatives de solidarité des mouvements des femmes à l'échelle internationale, bien qu'en cours de structuration, ont créé une dynamique nouvelle favorable à l'accélération des changements dans les rôles des femmes au regard de leur contribution au développement, à la reconnaissance publique internationale de cette contribution et corrélativement à l'élévation des droits économiques et sociaux des femmes au rang de droits humains fondamentaux.

6. Le sixième constat réside dans le fait que malgré l'état d'avancement des changements des rôles des femmes, et hormis quelques exceptions de pays et de régions du monde, leur contribution au développement ne s'est pas traduite partout par des transformations équivalentes au niveau des dispositifs juridiques nationaux, consacrant ainsi des situations où soit que les faits sont en avance sur le droit, soit que le droit ne se concrétise pas dans la réalité quotidienne des femmes.

7. Le septième constat, enfin, est que l'évolution du mode de traitement de la relation entre la femme et le développement durant les vingt dernières années a permis de déboucher sur l'identification de nouvelles causes des femmes, de nouveaux champs d'intervention des femmes dans le développement et de nouvelles perspectives de recherche concernant la problématique de la femme. À ce niveau, bien que de façon encore de disparaitre, chercheurs, experts et acteurs de développent tentent d'explorer des pistes de réflexion et des champs d'action pouvant conduire à des approches intégrées conformes aux nouvelles causes des femmes et aux nouveaux aspects de leur contribution au développement.

Dans cette perspective, la communauté scientifique, les pouvoirs publics et les sociétés civiles organisées sont appelés à prendre part aux nouveaux chantiers peu ou non encore explorés dans les domaines de la recherche académique et de celui des politiques publiques; l'objectif est de développer la réflexion et l'action en direction de catégories de femmes dont la prise en compte de leurs problèmes spécifiques est d'un grand intérêt et d'une réelle utilité pour leur insertion dans le processus de développement. Il s'agit, entre autres, mais particulièrement, des femmes rurales, des femmes du secteur informel, des femmes handicapées, des femmes mères célibataires, des femmes du troisième âge, des femmes migrantes, des femmes travaillant dans les secteurs sociaux, des femmes fonctionnaires, des femmes entrepreneures, des femmes artistes, des femmes sportives, des femmes chercheurs, des femmes savantes et académiciennes, des femmes diplomates et des femmes leaders des champs politique, syndical et associatif.

Si l'ensemble de ces constats justifient l'importance et l'intérêt de l'examen de la relation femme, développement et productions des valeurs, ils suggèrent la nécessité de procéder à un diagnostic raisonné des changements des rôles des femmes dans la gestion de cette relation ; l'objectif est de construire une typologie de ces changements rendant intelligible la compréhension des niveaux actuels de la contribution des femmes au développement, ainsi que le chemin qui reste à parcourir.

Changements et permanences

L'évaluation des principaux indicateurs économiques, sociaux et politiques concernant l'évolution de la relation femme et développement permet d'identifier cinq types de mutations :

- Les mutations émergentes ou espaces porteurs ;
- Les mutations réversibles ou espaces à acquis fragiles ;
- Les mutations lentes ou espaces à conquérir ;
- Les mutations indispensables ou les espaces à promouvoir ;
- Et les mutations relatives aux nouvelles générations des Droits des femmes ou espaces à explorer, à méditer et à prospecter.

1. Les mutations émergentes ou espaces porteurs

Ces mutations concernent l'initiative entrepreneuriale, le mouvement associatif, la contribution des femmes à la production scientifique et leur participation croissante à la vie culturelle.

À ces niveaux, les indicateurs les plus pertinents révèlent une émergence quantitative et qualitative réelle de la femme, dénotant d'une croissance de sa contribution à la création de richesses nouvelles et d'une dynamisation de son action au sein de la société et de la visibilité de cette action.

À titre d'illustration, selon les statistiques de l'ONU Femmes :

- Les femmes représentent en 2023 environ 22,8 pour cent des Chefs de cabinet des ministères, se trouant ainsi à la tête d'une sphère politique importante. Dans 13 pays, les femmes occupent 50 pour cent ou plus des postes de ministres. Les cinq portefeuilles les plus couramment détenus par les femmes ministres sont les suivants : Femmes et égalité des sexes, puis famille et enfance, inclusion sociale et développement, protection sociale et sécurité sociale, et affaires autochtones et minorités.
- 26,5 pour cent de tous les parlementaires nationaux sont des femmes, en hausse de 11 pour cent par rapport à 1995.
- Six pays comptent 50 pour cent ou plus de femmes au Parlement dans les chambres uniques ou basses : Rwanda (61 pour cent), Cuba (53 pour cent), Nicaragua (52 pour cent), Mexique (50 pour cent), Nouvelle-Zélande (50 pour cent) et Émirats arabes unis (50 pour cent). Vingt-trois autres pays ont atteint ou dépassé 40 pour cent, dont 13 pays en Europe, six en Afrique, trois en Amérique latine et aux Caraïbes, et un en Asie.
- Au niveau mondial, et par région, les femmes occupent 36 pour cent des sièges parlementaires en Amérique latine et dans les Caraïbes et représentent 32 pour cent des parlementaires en Europe et en Amérique du Nord. L'Afrique subsaharienne compte 26 pour cent de femmes parlementaires, suivies de l'Asie de l'Est et du Sud-Est avec 22 pour cent, de l'Océanie avec 20 pour cent, de l'Asie centrale et méridionale avec 19 pour cent et de l'Afrique du Nord et de l'Asie occidentale avec 18 pour cent de femmes parlementaires. Au Maroc, l'actuel Gouvernement comprend 19 ministres et cinq ministres délégués, dont 7 femmes. Quant au Parlement, sur un total de 395 sièges,

les femmes sont au nombre de 96, soit 24,3 % du total des parlementaires marocains.

2. Les mutations réversibles ou espaces à acquis fragiles

Ces mutations concernent l'éducation, la santé, l'emploi et le statut personnel. À ces quatre niveaux, force est de constater que la situation des femmes évolue en dents de scie, tantôt elle connait des changements positifs, tantôt elle sombre dans des régressions et des retours en arrière.

En effet, malgré les progrès réalisés dans les 20 dernières années, les conséquences désastreuses sur les conditions de vie, de travail et d'existence des femmes de la crise financière internationale de 2008-2009, de la pandémie covid19, de la guerre Russie Ukraine et celle encore plus meurtrière en Palestine ont rendu fragiles les acquis réalisés par les femmes en matière de scolarisation, de nutrition, d'opportunités de travail et de protection contre la l'extrême pauvreté, le chômage, la faim, la précarité, la vulnérabilité, l'exclusion et la violence et l'exploitation sexuelle.

Aussi, les dernières données disponibles révèlent les faits suivants :

Selon la Banque Mondiale, concernant l'éducation, en 2020, 39 % des femmes de plus de 15 ans sont analphabètes en Afrique subsaharienne, 35 % en Asie du Sud, 34 % dans le monde arabe, 6 % dans les pays de l'Amérique latine et 2 % en Europe et en Asie Centrale (Site de la Banque Mondiale). Au Maroc et selon les données de la même source, le taux d'analphabétisme des femmes a atteint, en 2021, 33 % contre 15 % chez les hommes.

Concernant l'emploi, si dans les pays de l'OCDE, le taux de chômage des femmes ne dépasse pas 6,5 % en 2021, le Monde

Arabe et la région MENA disposent des taux les plus élevés avec niveaux atteignant respectivement, 19,1 % (en 2016) et 15,7 % (Afrique du Nord et Moyen-Orient).

Au Maroc, le taux de chômage des femmes en 2021 au niveau national est de 16,8 % contre 10,9 % pour les hommes. En milieu urbain, les femmes sont plus affectées par le chômage, car ce taux a été évalué à 25,6 % contre 14,4 % pour les hommes.

Ces changements contraignent les femmes à faire face de façon concomitante à leur situation de femmes au foyer, de femmes actives occupées et d'organisatrices des réseaux de solidarité familiale.

3. Les mutations lentes ou espaces à conquérir

Ces mutations concernent principalement la conquête par les femmes des sphères de la décision et des institutions aussi importantes que les partis politiques, les syndicats et la fonction publique.

Si ces mutations sont réelles, elles restent toutefois imprimées par un rythme lent, rendant les femmes encore majoritairement exclues des principaux centres des décisions tant à l'échelle des partis que des syndicats et des instances gouvernementales.

Ainsi, selon l'ONU Femmes, au 1er janvier 2023, 11,3 % des pays ont une femme chef d'État (17 sur 151 pays, hors systèmes monarchiques) et 9,8 % ont une femme à la tête du gouvernement (19 sur 193). Il s'agit d'une augmentation par rapport à la décennie précédente, pour laquelle les chiffres étaient respectivement 5,3 % et 7,3 %. De toutes les régions, l'Europe continue d'avoir le plus grand nombre de pays dirigés par des femmes.

Les femmes représentent 22,8 % des ministres des Gouvernements au 1er janvier 2023. L'Europe et l'Amérique du Nord (31,6 %), ainsi que l'Amérique latine et les Caraïbes (30,1 %) sont les régions où la proportion de femmes dans les gouvernements est la plus élevée. Cependant, dans la plupart des autres régions, les femmes sont gravement sous-représentées, leur part ne dépassant pas 10,1 % en Asie centrale et en Asie du Sud et 8,1 % dans les iles du Pacifique (Océanie, hormis l'Australie et la Nouvelle-Zélande). Seuls 13 pays, principalement en Europe, ont des gouvernements paritaires, avec 50 % ou plus de femmes à la tête de ministères.

4. Les mutations indispensables ou les espaces à promouvoir

Ces mutations concernent deux dimensions essentielles : la dimension connaissance et la dimension organisationnelle.

En effet, les mutations qualitatives intervenues au niveau des rôles des femmes en liaison avec leur contribution au développement commencent à soulever de nouvelles interrogations nécessitant des réponses appropriées et renouvelées que seule une connaissance fiable et englobante est à même de rendre possibles.

Par ailleurs, la dynamique impulsée par la nouvelle génération des droits de la femme nécessite, pour leur traduction, l'organisation et la structuration des réseaux nationaux et internationaux, du mouvement associatif féminin afin de créer des contre-pouvoirs indispensables pour préserver les acquis, consolider les mutations porteuses, développer de nouveaux espaces de contribution des femmes au développement et de promotion de valeurs leur correspondant.

5. Les mutations liées aux nouvelles générations des Droits des femmes au XXIe siècle ou espaces à explorer, à méditer et à prospecter

La dynamique initiée, développée et mise en exergue, de par le monde, par le mouvement de libération de la parole des femmes, montre l'émergence de dimensions nouvelles des Droits humains fondamentaux des femmes.

Ces dimensions, qu'on peut qualifier de Droits de nouvelle génération, ont trait à la fois à l'espace privé et à la sphère publique de la vie sociale quotidienne des femmes, et ce à l'échelle de tous les aspects de leurs actions dans les sociétés et les économies du XXIe siècle. Elles concernent les femmes de tous les milieux sociaux, de toutes les régions du monde et de toutes les aires culturelles et civilisationnelles. Elles dénotent d'une réelle révolution paradigmatique ayant des impacts sur la réflexion et l'action futures concernant des problématiques originales et peu communes, qui touchent les conditions d'existence des femmes, leurs statuts personnels, leurs rôles dans la société, ainsi que leurs contributions au développement des territoires et des communautés où elles vivent et évoluent, avec les effets divers en termes de production de valeurs correspondant à tous les domaines de la relation femme et développement.

En effet, ces Droits de nouvelle génération concernent les domaines suivants :

- Les droits liés à la vie et à l'activité des femmes dans l'espace privé et qui sont attenants à leur statut personnel dans la société. Il s'agit des droits de disposer librement de son corps, de la liberté du culte, du mariage, du divorce, de l'héritage, du droit de propriété, des violences multiples et des discriminations diverses dont les femmes sont l'objet ;

- Les droits liés à la dignité des femmes. Ces droits sont au cœur de l'accès des femmes à une véritable citoyenneté. Ils traduisent l'effectivité de la couverture par la société de tous les besoins essentiels des femmes. Il s'agit, notamment des droits à l'éducation, la formation, la santé, à un revenu minimum d'existence, à un emploi non précaire, à l'alimentation, à un logement décent, à une retraite, une couverture médicale de base, à des allocations familiales, des allocations de vieillesse, à la prise en charge de l'handicap, à l'égalité des chances et de traitement devant l'acte économique, à une justice équitable, à la liberté d'expression et de culte, à la mobilité géographique, à la participation politique, le droit à la sécurité, à la culture, aux loisirs, et à vivre dans un environnement écologiquement sain. Il s'agit, aussi, des droits des femmes aux services sociaux de base, qu'il s'agisse de l'eau potable, de l'électricité, de l'assainissement, ou des transports.
- Les droits qui concernent la valeur humaine des femmes matérialisée par la reconnaissance de leur travail, la considération de leur place et leur rôle essentiel dans la société, ainsi que par leur nécessaire implication dans la décision et la gestion de la destinée de leurs communautés.
- Les droits relatifs à la libération des femmes des tâches qui sont soit aliénantes, soit dégradantes constituant des obstacles majeurs et des contraintes objectives devant leur autonomisation économique, leur épanouissement personnel et corrélativement devant l'éclosion de leurs potentialités créatrices ;
- Les droits liés à la participation des femmes dans la conception, l'élaboration et la mise en œuvre des agendas locaux, nationaux, continentaux et mondiaux en matière

de développement, notamment l'agenda pour le climat, la migration, la transition énergétique et numérique ;

- Et enfin, le droit à la reconnaissance de la spécificité de la contribution des femmes et de leurs apports à la réflexion et à l'action concernant les grandes problématiques du développement, et ce dans le cadre du droit à l'expression d'une différence positive, complémentaire à celle des hommes et apportant une valeur ajoutée considérable à l'aventure humaine dans ensemble.

Toutes ces mutations comme l'ensemble de ces droits sont aujourd'hui objet de nouvelles interrogations.

Interrogations nouvelles

Ces nouvelles interrogations trouvent leurs raisons d'être dans deux nouvelles réalités ayant trait à deux dimensions essentielles de la relation femme-développement et production des valeurs. La première est liée aux référentiels et la deuxième aux réalités du Monde nouveau et aux impacts divers de ces réalités sur la production des valeurs.

1. Les référentiels

En effet, la relation femme-développement et la production des valeurs sont tributaires quant à sa nature des référentiels de base, qui constituent l'essence, la quintessence et le sens des valeurs, des principes de droit et des devoirs qui régulent les rôles et guident l'action des femmes dans la dynamique globale du développement économique, social et sociétal des Nations.

Il s'agit principalement des Constitutions nationales, des Chartes et conventions internationales dédiées aux Droits des femmes, ainsi que des us et coutumes puisés dans les faits culturels et civilisationnels des communautés composant ces Nations.

Aujourd'hui, cette problématique est l'objet d'un débat à l'échelle nationale et internationale, dont les soubassements sont en train d'ores et déjà de remettre en cause radicalement la vision occidentale dominante du statut de la femme, celle de la problématique du développement et celle de la question des valeurs.

Cette remise en cause est l'œuvre d'une prise de conscience grandissante des composantes agissantes du Monde non occidental, de la nécessité d'explorer des voies nationales et des pistes endogènes alternatives de la réforme, conformes aux spécificités culturelles et civilisationnelles des Nations non occidentales et adaptées aux réalités historiques, religieuses, spirituelles, sociologiques et démos ethnologiques de leurs populations.

En terre d'Islam, ces référentiels posent la question de la relation entre le Droit religieux et le droit positif et entre le spécifique et l'universel en matière de production des valeurs et des principes fixant le statut personnel des femmes dans la société et précisant le cadre juridique encadrant leurs droits économiques et corrélativement légiférant sur l'étendu et les modalités de leur contribution au développement.

Pour le cas du Maroc, il est fort heureux de constater que notre pays a su et pu réaliser, à ce niveau, une synthèse réussie et un équilibre intelligent entre modernité, religion et développement, et donc entre le spécifique et l'universel, et ce grâce notamment au statut particulier de l'Institution du Roi dans l'écosystème institutionnel et constitutionnel national, qui l'érige en garant et arbitre de la gouvernance des champs à la fois temporel et religieux que lui confère son statut de commandeur des croyants.

Et il est fort à parier que cette synthèse réussie et cet équilibre intelligent, armé par le principe du changement graduel qui tient compte du temps de la société marocaine, de ses mutations profondes et de ses invariants et permanences, permettra de déboucher sur une nouvelle génération de réformes de la Moudouana soumise à a Haute attention et appréciation de Sa Majesté le Roi.

Sans préjuger de leur nature, leur contenu, leur teneur et leur portée, et comme nous l'enseigne la longue Histoire de la Nation Marocaine, ces réformes constitueront à ne point douter une avancée réelle dans la dialectique femme, développement et production des valeurs. Ce sont ces réformes, et les valeurs qu'elles impulseront, qui fixent le futur cap du niveau, du genre et du sens des changements du statut des femmes dans la société et dicteront en conséquence le mode de leurs contributions au développement du Maroc de demain.

Ces changements sont d'autant plus importants que la société et l'économie marocaines évoluent aujourd'hui dans un monde nouveau marqué par de nouvelles réalités, secrétant de nouvelles menaces et insécurités et produisant en conséquence de nouveaux défis indistinctement aux femmes et aux hommes du pays, notamment en termes de développement et de production de valeurs.

2. Les réalités du Monde nouveau et leurs impacts sur la production des valeurs

Le Monde connait, en effet, des réalités marquées par l'émergence et le développement de nouvelles générations de guerres, de plus en plus redoutables et destructrices, de risques et d'insécurités d'un genre nouveau, qui sont en train d'impulser des irréversibilités et des situations inédites sur les plans économique, social, culturel et environnemental plongeant les États et leurs populations dans l'incertain.

Ces manifestations majeures du Monde nouveau sont en train d'ouvrir la voie à des chaos sociétaux qui portent en eux, sur le plan international, les germes d'une sécurité humaine en réel danger et sur le plan national le risque de déstabilisation des acquis réalisés dans les domaines stratégiques pour le développement et la sécurité globale des Nations.

Au niveau de la relation femme, développement et production des valeurs, et aussi paradoxale que cela puisse paraître, c'est dans ce contexte que nous assistons à trois phénomènes concomitants : la libération de la parole des femmes, la globalisation-radicalisation des mouvements des femmes et l'apparition de nouvelles revendications et causes des femmes.

À l'image des mouvements des jeunes, ces phénomènes ont été amplifiés par les avancées prodigieuses de la révolution numérique, dont le foisonnement a permis aux femmes de s'approprier ses outils et d'en user pour :

- Libérer leurs énergies créatives dans tous les domaines ;
- Se libérer du poids de la famille et de l'école ;
- Transgresser les règles imposées par les appareils de l'État ;
- Ainsi que pour ériger les mouvements des femmes en véritables contre-pouvoirs, et ce par l'appropriation d'espaces illimités de liberté d'expression, d'organisation et de réseautage collaboratif.

La conséquence la plus logique de ce développement impressionnant du numérique est que les institutions qui transmettent les valeurs et qui produisent l'identité commune dans la société, en particulier la famille et l'école, ne produisent que des effets secondaires sur les comportements et les systèmes de représentation des femmes et des jeunes et sont de plus en plus dépossédées dans ce domaine par les nouveaux outils comme internet et la télévision connectée, devenus les véritables espaces de la sociabilité.

Dès lors se pose une question fondamentale. Qui assure aujourd'hui la production des valeurs et qui construit l'identité partagée, et corrélativement qui assure dans nos sociétés actuelles les missions éducatives des femmes autour de ces valeurs et de cette identité ?

Est-ce l'école, la famille, la mosquée, la rue, le parti, le syndicat et les institutions de la société civile ?

Ou est-ce internet, la télévision connectée, les vidéos, les réseaux sociaux et les nouveaux lieux de vie, comme les cyberespaces, les sites internet et le web en général ?

La réponse à ces interrogations majeures apparait d'un grand intérêt à la fois pour élucider la relation femme, développement et production des valeurs, et pour offrir à la Nation les outils indispensables pour garantir sa souveraineté culturelle, assurer sa sécurité cultuelle et spirituelle et nourrir la production de l'identité partagée, ciments de la cohésion sociétale et du substrat civilisationnel du Maroc du XXIe siècle.

Vaste chantier de recherche et défi développemental crucial.

La gestion future de la relation femme, développement et production de valeurs en dépend grandement, et avec elle les voix du changement possible du statut de la femme dans la société marocaine.

**Allocution d'investiture comme nouveau Membre de l'Académie du Royaume du Maroc, prononcée le 17 avril 2024, Rabat-Maroc.*

III
DÉMOCRATIE, CULTURE ET DÉVELOPPEMENT

L'ÉCOSYSTÈME DÉMOCRATIQUE À L'ÉPREUVE DU TEMPS
CRISE AU PRÉSENT ET LEÇONS POUR L'AVENIR

L'accélération du temps à laquelle nous assistons, avec ses tragédies humaines et ses prouesses technologiques, le chaos que cette accélération est en train de produire et les promesses d'un réveil salvateur espéré et d'un sursaut planétaire souhaité que cette accélération du temps, notre temps, pourrait susciter à mettre l'écosystème démocratique de par le monde à de rudes épreuves.

Aussi, interroger la qualité des institutions et leurs capacités à apporter des solutions appropriées aux impacts divers que génère cette réalité apparaît utile.

Certes, ce n'est pas une préoccupation nouvelle chez les économistes. Car, depuis fort longtemps, ils se sont intéressés au rôle des institutions en particulier et de la démocratie en général dans la dynamique de développement des Nations. Dans ce cadre, l'éminent économiste français François Perroux est allé plus lui. Selon lui le développement serait même une combinaison intelligente d'institutions. Aussi, la nature de cette combinaison révélerait la capacité d'une nation à générer en permanence des institutions capables d'assurer un développement humain global, durable, soutenable, intégré, inclusif, solidaire et participatif.

La place des institutions dans le fonctionnement de nos économies et de nos sociétés a, en conséquence, mobilisé la réflexion de nombreux économistes qui ont pu apporter des éclairages pertinents et contribuer à trouver des solutions appropriées à des problématiques complexes. Certains d'entre eux ont vu leurs efforts recomposés en étant gratifiés du prix Nobel d'économie, comme c'est le cas de Kenneth Arrow en 1972, Amartya Sen en 1998, Elinor Ostrom et Olivier Williamson en 2009, Daron Acemoglu et James Robinson en 2024.

D'autres réflexions ont été menées par les économistes, mais cette fois-ci pour évaluer la richesse des nations en tenant compte du rôle du capital immatériel, et de sa composante institutionnelle dans la création de cette richesse.

Aujourd'hui, les économistes sont interpelés pour examiner les impacts divers de la conjonction de l'impasse dans laquelle se trouvent les modèles de développement et ceux impulsés par la crise profonde que vivent les modèles de démocraties hérités du XXIe siècle, les incitant à reposer en des termes nouveaux le double paradoxe qui guette la relation entre développement et démocratie à savoir accepter "une démocratie sans développement" ou "un développement sans démocratie".

Ce faisant, un examen approfondi et serein de l'écosystème démocratique à l'épreuve de ce paradoxe de notre temps s'avère non seulement nécessaire et utile, mais indispensable.

Or, à ce niveau on constate que partout dans le monde, y compris, et peut être plus encore dirai-je, dans les démocraties anciennes d'Occident, l'écosystème démocratique est traversé par de nombreux dysfonctionnements et anomalies. Il fait face à des menaces d'un genre nouveau, l'installant dans une crise très profonde le conduisant à une réelle impasse. De ce fait, c'est tout l'écosystème qui se trouve dans une véritable situation d'insécurité au présent et devant de rudes épreuves aux regards des défis institutionnels futurs.

En effet, selon le rapport de l'Institut suédois "Varieties of Democracy" sur l'état de la démocratie dans le monde paru en 2024, Staffan Ingemar Lindberg, Directeur de cet institut affirme dans une interview accordée au journal "le Monde" le 23 décembre 2024 que "le niveau de démocratie dont jouit le citoyen moyen dans le monde est tombé au niveau de 1985". On peut y lire aussi qu'au 31 décembre 2023, 71 % de la population mondiale (contre 48 %, il y a dix ans) vivaient dans une autocratie. Mieux encore, Lindbergh note que » depuis 1900, il n'y a jamais eu un tel nombre et une telle proportion de pays et de la population mondiale qui reculent en même temps sur le plan de la démocratie. C'est historique. D'après toutes ces données, la situation est pire que celle que nous avons connue dans les années 1930, et nous ne voyons aucun signe d'amélioration. Au contraire »[19].

Plusieurs facteurs concomitants contribuent à expliquer cet état de fait. De même, de nombreux phénomènes, qui émergent et se développent à l'échelle de toutes les régions du Monde, pourraient aider à apporter des éléments d'explication à la crise profonde qui marque l'écosystème démocratique hérité du XXe siècle, quelles qu'en soient les variantes.

L'objet de cette contribution est triple :

1. Présenter les constats majeurs qui caractérisent la crise actuelle de l'écosystème démocratique, toutes variantes confondues ;
2. Examiner les termes du débat et les approches en présence à travers la mise en exergue de l'état de l'art en Occident et dans le reste du Monde ;

19. Lindberg Staffan Ingemar, 2024, « La situation de la démocratie est pire que celle des années 30 », interview in journal « Le Monde » numéro du 22 et 23 décembre, Paris,

3. Et enfin, tenter un essai de prospective à partir de la mise en perspective des leçons à tirer pour l'avenir.

Les points marquants

Le premier constat réside dans le fait que partout dans de nombreuses régions du monde, hormis quelques rares exceptions, la démocratie est en danger. Elle connait des menaces d'un genre nouveau, elle traverse une crise très profonde et se trouve de ce fait dans une réelle impasse.

Le deuxième constat est que ces menaces sont dues à plusieurs facteurs concomitants, portés par de nouvelles générations d'acteurs politiques produits d'une alliance entre une variante atypique de leaders politiques, le monde des affaires et le monde des nouvelles technologies digitales de l'information et de la communication. Cette alliance entre le pouvoir, l'argent et la technologie a comme corollaires, entre autres, mais particulièrement, d'un côté, l'emprise des géants du numérique sur les opinions publiques, et de l'autre, la prédominance de la conception de la politique comme un fonds de commerce par ces nouvelles générations d'acteurs politiques.

Le troisième constat est que ces phénomènes sont amplifiés par la crise profonde des relais traditionnels entre les citoyens, l'État et la société, que sont les partis politiques et les organisations syndicales, qui se trouvent de plus en plus déclassés par deux acteurs majeurs que sont les médias et les réseaux sociaux.

Le quatrième constat est que la crise économique, sociale, sanitaire, climatique et migratoire, la montée des tensions et des conflits et le retour sans précédent de la course à l'armement aidant, le contexte mondial a impulsé partout dans le monde la montée des mouvements d'extrême droite sur un fond de populisme, de résurgence des fondamentalismes et de la renaissance de l'appel à un retour aux sources des religions et des idéologies racistes, xénophobes et antisémites par de nouvelles forces politiques intégristes à l'affut d'une légitimité politique populaire.

Le cinquième constat réside dans le fait que tous ces phénomènes ont conduit à l'aggravation de la crise de confiance des citoyens dans leurs institutions et la montée de la défiance des États-nations vis-à-vis du droit international et de la gouvernance mondiale des conflits et des guerres en raison de l'impuissance du Conseil de Sécurité des Nations Unies à faire appliquer ses décisions, dans un monde nouveau où prédomine la loi du plus fort et le langage de la guerre économique et militaire dans la gestion des différends entre les États.

Le sixième constat, enfin, tient au fait que cette crise profonde que vit l'écosystème démocratique, est alimentée, voire exacerbée, par un phénomène inédit, qui domine un peu partout dans le monde, c'est celui de l'incapacité des sociétés modernes à produire de nouvelles élites, notamment politiques, plus visionnaires, plus engagées, plus convaincues de leurs utilités sociétales et de leurs responsabilités en tant que producteurs d'idéaux pouvant ouvrir de nouvelles perspectives à leurs communautés. Aussi, ce qui reste comme élites politiques dans ses sociétés se trouve devant une incapacité objective à produire des idées nouvelles et à proposer des projets mobilisateurs pouvant servir à la fois de référentiel aux politiques publiques, de socle commun, de valeurs partagées et de rêve collectif par et pour l'ensemble des composantes de leurs groupes d'appartenance et par extension pour leurs collectivités nationales.

C'est dans ce contexte et à partir de ces constats majeurs, que se pose aujourd'hui de par le monde, la problématique que je qualifierai « d'insécurité démocratique ».

Quelles sont les principales approches en présence et comment les chercheurs, les experts et les observateurs analysent cette problématique ?

Les termes de la problématique de l'insécurité démocratique et les approches en présence

À ce niveau, l'examen de l'état de l'art dénote la présence d'une diversité d'approches de la crise profonde que les démocraties connaissent en cette décade du XXIe siècle.

Dans ce cadre, on peut, en effet, identifier six approches correspondant à six visions de la problématique de l'insécurité démocratique :

1. L'approche de «la fin de la démocratie»

Cette approche est examinée par la Franco-américaine Susan George et le Canadien Quinn Slobodian. La quintessence de cette approche est explicitée par Susan George dans son ouvrage paru en 2012, au titre provocateur : « Cette fois, en finir avec la démocratie, le rapport Lugano II ». Dans cet ouvrage, l'auteure choisit sciemment le langage de la provocation, parce que pour elle la démocratie ne sert plus aujourd'hui les intérêts des peuples, mais bel et bien ceux de la finance, ceux des possédants, des entrepreneurs voyous et des trafiquants de tout genre, comme elle sert les ambitions des populistes et des radicaux de tout bord.

La raison principale qui fonde cette approche est que de nos jours, la démocratie ne s'inscrit plus dans le sens de la défense des valeurs de justice, de liberté, d'égalité, de dignité et de la valeur de l'homme.

Pour les idéologues qui veulent en finir avec ces valeurs, comme Warren Buffett, la troisième personne la plus riche au monde, « la démocratie et les droits de l'homme (ne) sont (que) deux fictions jumelles »[20].

---

20. Susan George, Cette fois, en finir avec la démocratie, le Rapport Lugano II, 2012, Éditions du Seuil, Paris, p1

Pour lui, il est de la plus haute importance de les utiliser pour assurer la suprématie du capitalisme occidental et garantir sa renaissance. Pour ce faire, il convient pour lui d'instrumentaliser l'écosystème démocratique pour servir les intérêts de la finance et des possédants.

Rapporté par Susan George, Warren Buffett affirme expressément : « aujourd'hui il y a une guerre des classes, c'est vrai, mais c'est ma classe, la classe des riches, qui la mène et nous sommes en train de la gagner ».

Cette approche est, également, défendue par l'auteur, le Canadien Quinn Slobodian dans son ouvrage paru cette année 2025, au titre encore plus provocateur, « Le capitalisme de l'apocalypse, ou le rêve d'un monde sans démocratie »[21].

Selon Slobodian la rationalité systémique mercantile, qui marque le capitalisme de la décade actuelle du XXIe siècle, porté par une classe de riches entrepreneurs agissant dans le cadre de réseaux transnationaux auxquels de nombreux territoires à une échelle planétaire offrent des avantages de divers ordres, notamment fiscaux, entraine la soumission des institutions politiques au pouvoir de l'argent. Ce faisant, si ce nouveau capitalisme est en train de soumettre la démocratie à ses propres règles, il s'inscrirait dans une dynamique qui s'accommoderait bel et bien d'un monde sans démocratie. Dans ce sens, l'auteur rejoindrait la thèse de Susan George. Puisque selon lui, les riches entrepreneurs chercheraient même, à en finir avec la démocratie.

Dès lors, on voit, comment les pouvoirs politiques en place utilisent les institutions issues de la démocratie pour installer soit des États autoritaires, soit un capitalisme au service

---

21. Quin Slobodian, 2025, Le capitalisme de l'apocalypse, ou le rêve d'un monde sans démocratie, Éditions du Seuil, Paris

des oligarques et des entrepreneurs voyous. Pour les deux auteurs, ce sont ces raisons profondes qui mettent l'écosystème démocratique à l'épreuve du temps et l'installent dans une situation de réelle insécurité.

2. L'approche du «peuple contre la démocratie»

Cette approche est développée par Yascha Mounk dans son ouvrage au titre, également, provocateur : « Le peuple contre la démocratie». Pour Yascha Mounk, plus que la défiance, « les citoyens-électeurs ont toujours exprimé leur dégout à l'égard de certains partis, hommes politiques ou gouvernants».

C'est pour cette raison qu'à présent « la plupart d'entre eux sont lassés de la démocratie libérale» [22].

Cette approche réside aussi dans le fait que le peuple a été instrumentalisé par des classes dominantes qui ont réussi à user de la démocratie pour l'amener à voter pour des gouvernants issus de ces classes, gouvernants dont le comportement et les projets sont aux antipodes de l'idéal démocratique, tels que le populisme, le radicalisme et l'autoritarisme.

Ce faisant, tout se passe comme si le peuple devient lui même et malgré lui contre la démocratie.

Aussi, à des élections libres et transpirantes, cette nouvelle génération d'acteurs politiques et de gouvernants a réussi à développer un marché politique porté et structuré par la fabrication planifiée des cartes électorales au moyen de l'achat des élites, des médias et des électeurs, mais aussi au moyen de pratiques fondées sur la menace et le chantage sur la vie privée et les intérêts personnels.

---

22. Yascha Mounk, 2019, Le peuple contre la démocratie, Éditions L'Observateur. Paris, p8

Pour l'auteur, cette nouvelle réalité socio-institutionnelle s'explique aisément, car les institutions connaissent une collaboration entre une démocratie formelle et une dictature réelle. De ce fait, selon Yascha Mounk, la démocratie est devenue une illusion.

Une telle réalité remet en cause, selon lui, la célèbre thèse de Francis Fukuyama dans son ouvrage testament « la fin de l'histoire », où il livre son intime conviction en le triomphe de la démocratie libérale occidentale dans le monde, comme modèle civilisationnel et institutionnel idéal type pour toute l'humanité[23].

Car, ce que l'on observe à présent c'est que « La démocratie libérale, ce mélange unique de liberté individuelle et de souveraineté populaire, qui a longtemps caractérisé la plupart des gouvernements d'Amérique du Nord et d'Europe occidentale, craque aux entournures. À sa place, ce à quoi nous assistons est la naissance de démocraties antilibérales, ou démocratie sans liberté, et d'un libéralisme antidémocratique, ou liberté sans démocratie » [24].

3. L'approche de « la démocratie digitale contrôlée »

On doit cette approche sans conteste à l'américaine Shoshana Zuboff. Sa thèse est bien explicitée dans son ouvrage : « L'âge du capitalisme de surveillance » parut en 2022. Pour la Professeure Zuboff, aujourd'hui la démocratie est vidée de sa substance et de son sens par la place grandissante que prennent les principales plateformes géantes du numérique dans la vie institutionnelle des Nations. Cette place leur a permis de détenir et le pouvoir éc onomique et le pouvoir politique un peu partout dans le monde.

---

23. Francis Fukuyama, 1992, la fin de l'histoire, Éditions Flammarion, Paris

24. Yascha Mounk, idem p26

Ce faisant, et grâce à ce double pouvoir, c'est eux qui fondent et défendent de nos jours, les marchés, y compris le marché politique, grâce à leur capacité de domination, de contrôle, de surveillance, d'espionnage, de désinformation, d'influence et d'orientation des choix des électeurs.

Aussi, en soumettant l'information stratégique issue des données personnelles des citoyens à leur logique mercantile et au service des intérêts économiques des grands réseaux transnationaux et des Nations dominantes, les géants du numérique installent les sociétés humaines du XXIe siècle dans une véritable dictature digitale évoluant dans une démocratie contrôlée, annonçant selon Shoshana Zuboff l'émergence et le développement d'un capitalisme de surveillance[25].

L'auteur va plus loin en inscrivant cette évolution des écosystèmes démocratique dans la dynamique du temps du siècle présent. Elle dit notamment : « Nous sommes au siècle du numérique et assistons aux débuts de la civilisation de l'information. Une époque que l'on pourrait comparer aux balbutiements de l'ère industrielle, quand les patrons avaient le pouvoir et que leurs droits de propriété l'emportaient sur toute autre considération. L'insoutenable vérité sur la situation actuelle, c'est que les États-Unis et la plupart des autres démocraties libérales ont abandonné la propriété et l'exploitation des données numériques aux acteurs du capitalisme de surveillance, qui, mues par des intérêts politico-économiques, concurrencent désormais la démocratie sur la question des droits et des principes fondamentaux qui définiront l'ordre social de ce siècle (…). Le résultat, c'est que nos démocraties abordent cette troisième décennie démunie, sans les chartes des droits, cadres juridiques et structures institutionnelles nécessaires pour garantir un

25. Shoshana Zuboff. Sa thèse est bien explicitée dans son ouvrage : « L'âge du capitalisme de surveillance » paru en 2022

avenir numérique compatible avec les aspirations d'une société démocratique »[26].

Cependant, affirme-t-elle, pour poser les fondements d'un siècle numérique démocratique, nos sociétés doivent favoriser l'émergence de contre-pouvoirs institutionnalisés et constitutionnalisés. Ces contre-pouvoirs sont seuls à même de permettre aux citoyens d'avoir des voies de recours pour se défendre contre l'usage abusif de leurs données personnelles, contre la manipulation, la désinformation, et de la propagande et ce en vue de « se prémunir des effets dévastateurs du mensonge, de la contrevérité, du faux et usages de faux en matière d'information »[27].

4. L'approche de la démocratie inachevée

Cette approche est portée par le philosophe Marocain Mohamed Noureddine Affaya. Elle est explicitée dans ses deux ouvrages : « الديمقراطية المنقوصة », « la démocratie inachevée » paru en 2011 et « النهضة المعلقة », et «la démocratie suspendue » parues en 2020.

Selon l'auteur la démocratie est de par sa nature un écosystème institutionnel inachevé, parce qu'elle est en évolution continue. Aussi, est-elle soumise en permanence à des évaluations visant à mesurer les progrès réalisés, à identifier les obstacles à surmonter et à ouvrir les pistes possibles de l'innovation institutionnelle pouvant rapprocher l'écosystème démocratique du modèle idéal type de démocratie.

Cette démarche et ce processus trouvent leur raison d'être dans le fait que la démocratie est toujours en devenir et donc en construction permanente.

---

26. Shoshana Zuboff, in « le Courrier international », numéro hors-série, avril-mai 2021, pp6-7

27. Ibidem

Cependant, selon le Professeur Affaya, pour que ce processus se déroule normalement, il faut que soient réunies de façon concomitante, dans quatre conditions :

– Le développement dans la société d'une véritable culture politique ;
– Avoir un niveau élevé de participation politique lors des échéances électorales ;
– L'existence d'une gouvernance démocratique réelle et efficace. C'est-à-dire une gouvernance qui répond aux besoins et aux attentes des citoyens.
– Et le respect des normes et des règles du modèle démocratique, en particulier l'alternance politique.

Pour l'auteur, dont le champ de réflexion est le Monde Arabe, ces conditions ne peuvent être opératoires que s'il existe dans la société des forces de sociales pouvant conduire à terme la transition démocratique. Il s'agit notamment[28] :

– Des mouvements de jeunes et de femmes et une génération nouvelle d'intellectuels organiques ;
– Des organisations de la société civile indépendantes, acteurs de la défense des droits humains fondamentaux des citoyens dans les domaines essentiels de leur vie sociale quotidienne qu'il s'agit des libertés d'expression, des droits environnementaux, culturels ou économiques ;
– Un gouvernement démocratique issu d'élections libres et transparentes, agissant selon les principes du contrat et de la représentation citoyenne ;
– Des partis politiques forts conçus comme des institutions modernes dotées d'une culture capable de contribuer à

---

28. محمد نور الدين أفاية، الديمقراطية المنقوصة، في ممكنات الخروج من التسلطية وعوائقه، منتدى المعارف، بيروت، 2011 ص102-144

la réussite de la transition démocratique. Ce qui suppose l'émergence dans la société d'acteurs politiques qui tranchent avec la politique comme cadre d'enrichissement et de perpétuation d'une rationalité systémique tribale et communautariste, y compris dans sa dimension religieuse ;

- Des médias dont la mission est de favoriser la transition démocratique en étant plus animés par le souci de réaliser un équilibre entre information, opinion et engagement et que de s'ériger en porte-voix d'un projet politique et sociétal.
- Et une élite économique nationale composée d'entrepreneurs patriotes organisés dans des associations professionnelles, une élite consciente des enjeux de la transition démocratique, s'appropriant ses objectifs et engagés dans sa réalisation.

Parallèlement au rôle crucial de ces acteurs, la démocratie sera encore plus inachevée, selon le Professeur Affaya, si l'écosystème institutionnel national ne s'accompagne pas de contre-pouvoirs constitutionnalisés servant de régulateurs et d'instances de contrôle et de sanction des déviances potentielles que secrète toute démocratie libérale qu'il s'agit des Cours des Comptes, des Conseils de la concurrence, des instances de lutte contre la corruption, ou de protection des droits de l'Homme.

5. L'approche de « la démocratie comme valeur universelle »

Cette approche est défendue par le prix Nobel d'économie Bengalais Amartya Sen dans son ouvrage « la démocratie des autres » au sous-titre annonciateur de sa vision de la démocratie : « pourquoi la liberté n'est pas une invention de l'occident » [29].

---

29. La démocratie des autres, pourquoi la liberté n'est pas une invention de l'occident, 2005, Éditions Payot, Paris

Pour lui, les faits historiques et les réalités dans le monde montrent et démontrent d'une part « la complexité du problème de la démocratie » et, d'autre part que la démocratie n'est nullement l'apanage du seul monde occidental. Elle est bel et bien une valeur universelle. En effet, au-delà de la Grèce Antique, on ne saurait nier les « racines profondes de la pensée démocratique en Afrique » [30], en Asie et dans d'autres régions du monde non occidental.

À ce sujet, l'auteur, s'appuyant sur l'autobiographie de Nelson Mandela dans « Un long chemin vers la liberté », raconte que celui-ci « fut impressionné, lorsqu'il était tout jeune, par la nature démocratique des procédures de rencontres locales qui se tenaient dans la demeure du régent à Mqhekezweni ».

Il cite ainsi Nelson Mandela quand il dit notamment : « Quiconque voulait prendre la parole pouvait le faire. C'était la démocratie dans sa forme la plus pure. Il se peut qu'il y ait eu une hiérarchie dans l'importance des intervenants, mais qu'il soit chef ou sujet, guerrier ou médecin, boutiquier ou fermier, propriétaire ou travailleur agricole, chacun pouvait se faire entendre. (…) C'est cela qui fut le fondement de l'autonomie : tous étaient libres d'exprimer leurs opinions et tous étaient égaux en tant que citoyens » [31]

Par ailleurs, ces considérations historiques étant, pour Amartya Sen, il y a lieu de reconnaitre que « Le concept de démocratie comme valeur universelle est assez récent, et il est de façon intrinsèque un produit du XXe siècle » et « c'est au XXe siècle (…) que le modèle démocratique fut reconnu comme

---

30. Idem p18

31. Ibidem p16

le type “normal” de gouvernement auquel toute nation a droit, que ce soit en Europe, en Amérique, en Asie ou en Afrique » [32].

Selon cette approche, la nature universelle de la démocratie réside dans l’existence d’institutions et de modes de gouvernance fondés, outre sur des élections libres et transparentes, sur le respect des libertés et des droits fondamentaux des citoyens, notamment « la garantie de la libre discussion, du débat, de la critique et de la contestation »[33] , le tout associé à la participation politique, à la gouvernance responsable et à la reddition des comptes.

Ce sont ces valeurs qui font qu’il ne peut y avoir de développement sans démocratie et de démocratie sans développement. Car, outre le fait que le choix entre le pain et la liberté est arbitraire, ceux parmi les citoyens « qui éprouvent les difficultés économiques ressent aussi le besoin de faire entendre leur voix dans la vie politique. (C’est pour cette raison fondamentale que), la démocratie n’est pas un luxe qui peut attendre l’arrivée de la prospérité générale »[34].

6. La sixième approche, enfin, est celle de l’écosystème démocratique comme une synthèse entre le spécifique et l’universel

C’est cette approche que je défends. Elle part du postulat selon lequel, d’un côté, il y aurait dans le Monde plusieurs variantes de démocraties, fruits des spécificités historiques, culturelles, civilisationnelles et institutionnelles de chaque Nation, et d’un autre côté, que ces variantes de démocratie sont soumises en permanence aux impératifs de la réalisation

32. Ibidem p50

33. Ibidem, p66

34. Ibidem, pp71-72

indispensable d'un équilibre entre le spécifique et l'universel dans la dynamique de la construction démocratique.

Cette problématique se pose particulièrement en terre d'Islam où il n'y a pas de séparation entre l'État et la religion. Aussi, dans ces aires civilisationnelles, pour les États qui poursuivent la construction d'un idéal démocratique, d'une part, le spécifique est puisé dans la recherche constante d'une synthèse entre démocratie, religion et modernité, et d'autre part, l'universelle tire son référentiel dans les Chartes et les conventions internationales dédiées aux droits humains fondamentaux dans leurs dimensions politiques, notamment le respect des libertés individuelles et collectives, et ainsi que dans le socle commun de valeurs, de principes et de pratiques encadrant la souveraineté populaire à savoir les instruments, les mécanismes et les procédures garantissant des élections libres et transparentes.

Dans ce cadre, le Maroc, État musulman, constitue un exemple édifiant non seulement dans la région MENA et en Afrique, mais à l'échelle internationale. En effet, sa variante de démocratie, construite par touches successives et de façon graduelle, trouve ses fondements dans deux composantes essentielles de son écosystème institutionnel national, consacrées par la loi fondamentale du pays, à savoir :

- La centralité de l'institution du Roi (Titre III de la constitution) ;
- Et l'institution de la commanderie des croyants (Imarat Al Mouminine) qui, de par cette centralité, confère au Roi un pouvoir à la fois temporel et spirituel (Article 41 du Titre III de la constitution).

De ce fait, et à la différence de la variante occidentale de démocratie, il existe dans la variante marocaine, non pas trois pouvoirs, mais quatre pouvoirs :

– Le pouvoir du Roi

– Le pouvoir judiciaire

– Le pouvoir législatif

– Et le pouvoir exécutif.

Le pouvoir du Roi joue un rôle institutionnel et constitutionnel de fédérateur, de garant de l'équilibre général des pouvoirs, et d'arbitre en cas de conflits entre les différents pouvoirs. Le pouvoir du Roi est donc, selon l'expression consacrée, au-dessus des pouvoirs judiciaire, législatif et exécutif.

Ce pouvoir a été renforcé par les innovations institutionnelles apportées par la constitution de 2011, qui stipule la création d'institutions et d'instances de protection des droits et libertés, de la bonne gouvernance, de développement humain durable et de démocratie participative, dont les présidents sont tous nommés par le Roi. Il s'agit du CNDH, du Médiateur, du CCME, de la HACA, du Conseil de la concurrence, de l'Instance nationale de la probité, de la prévention et de la lutte contre la corruption (TITRE XII), du CSEFRS, du Conseil consultatif de la famille et de l'enfance, et du Conseil consultatif de la jeunesse et de l'action associative, en sus de la Cour des comptes (TITRE X) et du CESE (TITRE XI).

Ce statut spécifique de l'institution du Roi lui est conféré par la légitimité historique et populaire dont elle jouit dans l'édifice national.

Cette variante nationale de démocratie poursuit deux objectifs stratégiques majeurs :

– Réaliser un équilibre intelligent et une synthèse maitrisée entre démocratie, modernité et religion ;

– Et concilier dans la durée entre le temps politique, le temps cultuel et le temps sociétal.

Pour ce faire, toutes les réformes, de quelque nature qu'elle soit, en particulier celles ayant trait au statut personnel, sont soumises au principe du changement graduel qui tient compte du temps de la société marocaine, de ses mutations et de ses invariants et constances, le tout à partir d'une approche participative portée par un large processus d'écoute des acteurs et forces vives du pays. L'exemple le plus récent et le plus édifiant à ce sujet est celui de la réforme du code de la famille.

À cet égard, l'évaluation objective de cette variante de démocratie montre que le Maroc a su et pu réaliser ces deux objectifs stratégiques majeurs, avec comme impacts directs une stabilité politique incontestable, une sécurité globale attestée, une attractivité accrue et une place dans le concert des Nations reconnue par tous les acteurs qui comptent dans le jeu complexe des relations internationales.

Cependant, il faut bien en être conscient, il s'agit d'objectifs stratégiques idéal type qu'il faut concevoir toujours en devenir, et donc nécessairement inachevé, parce qu'objet en permanence de fragilités institutionnelles et de vulnérabilités factuelles, installant l'écosystème institutionnel dans son ensemble dans une véritable insécurité démocratique.

Cette problématique, le Maroc la partage avec toutes les démocraties du monde, occidental et non occidental comme nous l'ont révélé les constats que nous avons mis en exergue dans l'analyse des causes de la crise de l'écosystème démocratique dans le monde et l'examen des approches en présence pour expliquer les tenants et les aboutissants de cette crise.

Se pose alors une question fondamentale : faut-il chercher dans les traditions institutionnelles nationales les sources du renouveau démocratique ou bien existe-t-il des pistes universelles pour garantir la sécurité démocratique dans nos Nations ? D'où le troisième et dernier moment de mon exposé.

Quelles leçons pour l'avenir ?

L'état de l'écosystème démocratique à l'épreuve du temps révèle plusieurs leçons à tirer pour l'avenir. Ces leçons ont pour fondements trois principes directeurs :

1. Promouvoir dans la société une nouvelle culture politique ;
2. Produire une nouvelle génération d'élites plus visionnaires et plus déterminées et engagées dans la réalisation de l'idéal démocratique ;
3. Et réinventer une démocratie dans un Monde incertain en crise.

Une telle entreprise nécessite de repenser en des termes nouveaux le mode de fonctionnement de l'écosystème démocratique et de changer radicalement les modalités de sa régulation. Pour ce faire, il convient de redonner vie à la démocratie politique, d'un côté, par le respect strict des libertés individuelles et collectives, et de l'autre, par la mise en œuvre effective de la souveraineté du peuple. Cependant, si l'exercice d'élections transparentes apparait au cœur de ce processus, il est tout aussi important, comme le dit Pierre Rosanvallon, de« donner à nos démocraties une assise élargie », et ce dit-il « en inventant des formes non électorales de représentation », de telle sorte que « le système électoral majoritaire (ne) conduit pas à multiplier les « oubliés de la représentation ». L'objectif final étant de « faire vivre la démocratie de façon permanente » [35].

Cependant, ces transformations doivent être portées par des institutions fortes, qu'il s'agit des partis politiques, des organisations syndicales, des associations de la société civile qui

---

35. Cf « Réinventer la démocratie » in Les Cahiers du Monde, numéro 19987 du mercredi 29 avril 2009

doivent être tous indépendants et crédibles en vue de s'ériger en réels contre-pouvoirs. Elles doivent être, également, cadrées et accompagnées par des organes de régulation et des instances de gouvernance véritablement indépendantes remplissant pleinement leurs missions de suivi, d'évaluation, de contrôle et de reddition des comptes. Ce sont ces pistes qui permettraient de notre point de vue l'émergence d'une nouvelle génération de démocratie en phase avec les réalités, les complexités et les nouvelles exigences institutionnelles de notre temps.

Dès lors, si nos Nations n'inventent pas cette nouvelle génération de démocratie, après « la mort de l'idéologie », que nos sociétés ont connue lors de la chute du mur de Berlin en 1989, il est fort à parier qu'elles risquent de connaitre à coup sûr, si ce n'est pas déjà le cas, « la mort de la politique », et avec elle la fin graduelle des relais entre les gouvernants et les peuples. Une telle évolution risque d'installer les États devant un véritable chaos institutionnel potentiellement générateur de formes atypiques, de violences sociale et politique à l'échelle à la fois territoriale, nationale et internationale.

Ce faisant, « la mort de la politique » aura une conséquence cruciale pour le fonctionnement normal des institutions, rendant de plus en plus difficile pour nos États la réalisation indispensable de l'équilibre entre la liberté, la responsabilité et l'autorité. Or, cet équilibre représente le stade suprême des nouvelles générations de démocraties à inventer. Si celles-ci sont appelées à être élaborées selon une approche participative entre tous les acteurs institutionnels et toutes les forces vives de la Nation, elles doivent être soumises à une rationalité systémique fondée sur la recherche collective de compromis et de consensus, dont les fondements sont l'acceptation mutuelle par ces acteurs et ces forces de concessions réciproques et de sacrifices partagés, à partir d'une démarche qui met le bien commun et l'intérêt général au-dessus des intérêts catégoriels. Ce qui suppose une véritable révolution de la culture politique menée par une nouvelle génération d'élites, de gouvernants, de partis politiques, de syndicats, de citoyens et de contre-pouvoirs indépendants forts de la société civile.

Il s'agit là d'un défi complexe que les Nations du XXIe siècle se doivent de relever, si elles ne veulent pas s'installer durablement dans l'anarchie institutionnelle et l'instabilité politique permanente, productrices, comme disent les économistes d'effets externes négatifs sur le terrain de la compétitivité de leurs économies, de la cohésion de leurs sociétés, de la durabilité et de la soutenabilité de leur développement, et corrélativement sur leur stabilité, leur sécurité et leur prospérité.

Ces leçons pour l'avenir étant, au-delà de l'impératif renouveau de l'écosystème démocratique, comment face à l'accélération de l'histoire nous pouvons aujourd'hui nous projeter dans le futur dans un monde incertain, une incertitude qui place nos sociétés dans une véritable croisée des chemins.

Il est très difficile de répondre à cette question, mais mon intime conviction est que, c'est de l'usage dont feront nos Nations et par extension la communauté internationale de cette accélération de l'histoire que dépendra demain l'issue de notre destin commun. Cette issue offre à nos sociétés un choix existentiel crucial et un seul soit changer soit régresser. Dès lors, l'accélération de l'histoire sera ainsi soit notre chance soit notre cauchemar, soit notre paradis soit notre enfer et in fine soit notre avenir soit notre fin tragique.

**Conférence prononcée à l'occasion de la 50e session de l'Académie du Royaume du Maroc organisée sur le thème : « La grande accélération de l'Histoire » les 22,23 et 24 avril 2025, Rabat-Maroc*

DÉMOCRATIE, CITOYENNETÉ ET INCLUSION NUMÉRIQUE

La crise, qui a touché indistinctement tous les continents depuis janvier 2020 à la suite de la pandémie covid19, a jeté un regard universel nouveau sur l'état du Monde. Ce regard est porté par une conviction généralisée selon laquelle les sociétés humaines sont entrées dans une nouvelle ère, marqué par des aléas et des risques majeurs d'un genre nouveau, et ce à tous les niveaux de la vie sociale quotidienne de nos populations au Nord comme du Sud de la planète, menaçant la sécurité humaine globale et installant les économies et les sociétés du XXIe siècle dans l'incertain.

Elle a dévoilé, aussi, que le système mondial est au cœur de l'émergence d'une nouvelle génération d'insécurités et de guerres. Celles, plus visibles, que sont les insécurités et les guerres de l'alimentation, de l'eau, de l'énergie, des médicaments, du génie génétique végétal et animal et sa forme d'expression suprême la plus ravageuse qui est la guerre bactériologique, mais aussi celles plus pernicieuses que sont les guerres de la connaissance, du savoir, de l'intelligence artificielle, de l'information, de l'image, de l'espace et du digital.

Mais cette crise a révélé, également, les coûts exorbitants de l'absence d'une gouvernance mondiale coordonnée, responsable, et solidaire de la pandémie covid19 sans pilotage multilatéral unifié et partagé. Cette réalité a eu des impacts socioéconomiques, humains et psychologiques très préjudiciables sur les conditions de vie des populations pauvres de tous les continents.

De même, ces impacts ont frappé durement les salariés des secteurs concernés par la crise, les autoentrepreneurs, les TPE, les PME, les artisans, les paysans, les travailleurs précaires, et les « entrepreneurs » des secteurs dits informels, dont les activités sont la source principale de subsistante. Les femmes, les jeunes, les enfants abandonnés, les personnes âgées et les migrants sont les catégories les plus touchées.

Une telle situation a conduit à l'émergence de nouvelles générations de pauvres et de pauvreté, de chômeurs et chômage, de vulnérables et de vulnérabilité, en plus du développement de manifestations non visibles de cette crise systémique profonde, que sont les formes atypiques de violences sociales, le suicide, la consommation de psychotropes, de la drogue, les angoisses existentielles diverses et la perte de confiance dans la capacité de l'État, la Société et les Institutions internationales à répondre en temps réel à la détresse humaine et aux situations d'urgence.

Aussi, sommes-nous bel et bien devant une véritable crise du système économique, social, et politique et non une crise dans le système.

Dès lors, ce ne sont pas des réformes classiques de relance de l'économie que cette crise profonde exige, mais des inflexions substantielles et des ruptures fondamentales qu'il faut opérer au cœur de ce système.

Dans le contexte de la révolution digitale en cours, toutes ces réalités et toutes ces transformations interpellent la relation entre démocratie, citoyenneté et inclusion numérique.

L'urgence de repenser nos modèles de démocratie

La démocratie est un Grand Contrat entre les acteurs et forces vives d'une collectivité donnée, dans un territoire donné, à un moment donné de son histoire. Ce Grand Contrat traduit une volonté populaire librement exprimée par le suffrage universel se concrétisant par l'élaboration d'une stratégie commune relative aux modalités, et aux finalités de la gestion des affaires de la communauté.

Ce Grand Contrat est construit sur la base d'un socle commun de valeurs, de droits et de devoirs autour d'un projet de société dont l'objectif est d'arriver à la plénitude de la citoyenneté pour la mise en œuvre de laquelle des institutions et des lois sont dédiées que sont la Constitution, les Instances de représentations, les juridictions, les organes de concertation, de dialogue, de médiation, et les autorités de régulation.

En partant de cette conception de la démocratie, et à partir d'une évaluation des expériences comparées de par le monde depuis la Grèce Antique, berceau de la première démocratie connue et reconnue dans l'histoire des sociétés humaines, jusqu'à nos jours, on peut identifier plusieurs formes de démocraties.

Il y a la démocratie politique qui comprend plusieurs variantes que sont la démocratie représentative, la démocratie participative, la démocratie directe et l'autogestion.

Il y a la démocratie sociale portée par des institutions et des politiques publiques visant la réalisation conjointe de la justice, l'équité et l'égalité sociale.

- La justice sociale relève du droit. Or ce droit, parce que consacré par la Constitution, il doit se traduire par des dispositifs juridiques et légaux et par des procédures et des politiques de redistribution et de répartition des richesses.
- L'équité sociale, quant à elle, relève de la morale. Elle obéit, de ce fait, à des considérations éthiques qui peuvent prendre la forme de chartes ou de codes de bonne conduite ou d'autres corpus de nature soit philosophique, soit religieuse ou spirituelle.

– Quant à l'égalité sociale, elle relève de considérations idéologiques et politiques. Au sens où elle se rapporte au projet de société et au modèle de développement « idéaltypes » portés par un groupe social donné dans un pays donné à un moment donné de son histoire.

Il y a la démocratie économique qui vise à réaliser l'égalité des chances des citoyens, des entreprises et des territoires devant l'acte économique par et pour la réalisation de la concurrence libre, juste, loyale et saine, et dont les institutions et les instruments sont les autorités de régulation des marchés, les juridictions, et les instances de gouvernance économique. Cette forme de démocratie est portée par le principe de la responsabilité économique des États, des entreprises, des territoires et des citoyens.

Et il y a, enfin, l'émergence d'une nouvelle génération de démocratie, qui est la démocratie numérique fondée sur la recherche de la justice numérique, le droit au numérique et la protection des données à caractère personnel.

Au regard de toutes ces formes de démocratie, force est de constater que les modèles de démocratie hérités du XXe siècle, dominant aujourd'hui dans le monde, sont en crise.

Cette crise est profonde, parce qu'elle est structurelle, et elle est structurelle parce qu'elle touche aux fondements mêmes des modèles démocratiques idéal types auxquels aspirent les sociétés du XXIe siècle.

Cette crise révèle un ancien paradoxe difficile à résoudre et qui est toujours d'actualité. Il s'agit du paradoxe dit d'Arrow, du nom du très célèbre prix Nobel d'économie, le professeur Kenneth Arrow. Le professeur Arrow cherchait à apporter une réponse à la conciliation nécessaire entre préférences individuelles et choix collectifs, pour conclure qu'en démocratie un choix collectif est soit antidémocratique, soit illogique.

D'autres paradoxes s'ajoutent à celui-là nous poussant à réinventer une démocratie en phase avec la complexité de notre temps et de l'émergence d'une nouvelle génération de citoyens et de citoyenneté dont les valeurs fondamentales ont changé de nature. Quelles sont ces valeurs fondamentales de la citoyenneté au XXIe siècle et qui se trouvent au cœur de cette nouvelle démocratie à réinventer.

Les valeurs fondamentales de la citoyenneté

Le monde généré par la crise pandémique de la covid19 est en train de laisser derrière lui la détresse, la désolation et la misère humaines, et ce à des échelles qui rappellent voire dépassent la crise de 1929. C'est pour cette raison essentielle que les nouveaux modèles de développement à bâtir doivent partir d'une conception de la citoyenneté portée par deux valeurs fondamentales : la dignité et la valeur de l'Homme.

Ces deux valeurs doivent être au cœur des nouvelles préoccupations des faiseurs nationaux des politiques publiques en matière d'action sociale et de solidarité, comme au niveau des organisations régionales et internationales de la famille des Nations Unies.

La première valeur, qui est la dignité, est un état de l'être humain atteint à partir de la couverture par la société de tous les besoins essentiels de sa population, sur la base de l'effectivité de l'accès aux droits humains fondamentaux, et ce dans le cadre d'un traitement non discriminatoire en fonction du sexe, de l'âge, du statut social, du milieu de résidence et des conditions physiques et sociosanitaires de la personne.

Cette effectivité concerne le droit à l'éducation et la formation, à la santé, à un revenu minimum d'existence, un emploi non précaire, à l'alimentation, à un logement décent, à une retraite, une couverture médicale de base, à des allocations familiales, des allocations de vieillesse, à la prise en charge de l'handicap, à l'égalité des chances et de traitement devant l'acte économique, à une justice équitable, à la liberté d'expression et de culte, à la mobilité géographique, la participation à la vie de la Cité, le droit à la sécurité, à la culture, aux loisirs, et à vivre dans un environnement écologiquement sain.

Mais la dignité concerne, aussi, le respect des droits aux services sociaux de base, qu'il s'agisse de l'eau potable, de l'électricité, l'assainissement, ou des transports.

Dit autrement, la dignité est un état global et général de la condition humaine dans une société donnée à un moment donné de son histoire. Elle représente, in fine, la forme suprême de l'expression et de la plénitude de la citoyenneté.

La deuxième est relative à la valeur de l'Homme dans la société. Elle est la concrétisation de trois actions concomitantes : la reconnaissance, la considération et l'implication dans la décision et la gestion des affaires de la Cité. Dans ce sens, la démocratie participative, le mérite, la compétence, la responsabilisation, l'équité, la justice, l'égalité et l'inclusion sociale, culturelle et professionnelle en constituent les paramètres fondamentaux.

Cependant, dans le contexte de la révolution digitale en cours, le renouveau démocratique et l'effectivité de la citoyenneté devraient être portés par l'inclusion numérique.

L'inclusion numérique

Pourquoi la question de l'inclusion numérique est importante aujourd'hui ?

Trois raisons à cela :

– Une raison éminemment politique ;

– Une raison liée à la production des valeurs partagées ;

– Et une raison ayant à la justice numérique.

1. La raison éminemment politique

Parce que la démocratie et la citoyenneté sont menacées par une révolution numérique non soumise au contrôle populaire et donc au contrôle démocratique.

En effet, notre démocratie et notre citoyenneté sont devenues de véritables otages du contrôle de réseaux sociaux manipulés à des fins soit politiques, soit commerciales, soit immorales, du piratage des données à caractère personnel par des hackeurs de tout genre financé des fois par des États voyous visant soit à contrôler la vie privée des citoyens, soit à orienter l'opinion publique, soit à instrumentaliser les électeurs, et ce dans une réelle saga marquée par la collusion entre le monde des affaires numérique et du champ politique.

Pire encore, la réalité actuelle du numérique touche au caractère universel de l'idéal démocratique et de la citoyenneté en déstabilisant la liberté d'expression, et en incitant à la haine raciale, à l'antisémitisme, à la violence et à la contestation des institutions démocratiquement élues.

2. La raison liée à la production des valeurs partagées

En effet, l'inclusion numérique pose une autre question fondamentale : Qui assure aujourd'hui la production des valeurs et qui construit l'identité partagée, et corrélativement qui assurent les missions éducatives des jeunes dans nos sociétés ?

- Est-ce l'école, la famille, la mosquée, la synagogue, la cathédrale, le temple, la rue, le parti, le syndicat, ou/et les organisations de la société civile ?
- Est-ce internet, la télévision, la vidéo, les réseaux sociaux et les nouveaux lieux de vie impulsés par la nouvelle révolution numérique, comme les cybercafés, les sites internet et le web en général.

D'où la nécessité voire l'urgence de mener des études empiriques scientifiquement autorisées pour répondre à ces questions cruciales pour la démocratie et la citoyenneté partagée.

3. Et une raison ayant à la justice numérique

La révolution numérique est en train de produire des fractures, et des injustices d'un genre nouveau, causées par l'émergence et le développement dans la société d'un phénomène grandissant qu'on peut qualifier d'analphabétisme digital.

La conséquence de ce phénomène est l'aggravation des inégalités en matière d'utilisation des technologies de l'information et de la communication par les différentes régions du Monde.

État des inégalités en matière d'utilisation des Technologies de l'information et de la communication par région du Monde en 2018

Région	Utilisateurs d'internet en % de la population	Abonnement à la téléphonie fixe pour 100 habitants	Abonnement à la téléphonie mobile pour 100 habitants
Afrique Subsaharienne	25	1	76
Asie du Sud	30	2	87
Asie de l'Est et Pacifique	57	15	120
Afrique du Nord et Moyen-Orient	60	15	107
Amérique latine et Caraïbes	64	16	104

Europe et Asie Centrale	78	30	124
Pays Membres de l'OCDE	83	35	120
Zone Euro	84	44	123
Amérique du Nord	88	36	120
Monde	51	13	104

Source : Banque Mondiale

La conséquence la plus directe de ces inégalités numériques est l'accroissement des difficultés d'accès des populations pauvres des régions concernées aux services sociaux essentiels. Car, tout évolue dans les économies et les sociétés du XXIe siècle de telle sorte que l'accès à la dignité et à la valeur de l'Homme, tel que nous les avons définies auparavant, passe désormais par la capacité dont disposent les citoyens pour s'approprier les outils de la révolution numérique et ce à tous les niveaux de leur vie économique, sociale et culturelle. En effet, aujourd'hui les outils et les mécanismes d'accès à l'éducation, l'emploi, la santé, le logement, ainsi que le bénéfice des allocations familiales, des indemnités pour perte d'emploi, des aides sociales diverses, ou des crédits de la microfinance, sont désormais le télé-enseignement, le télé travail, la télé déclaration, et le paiement en ligne.

Tous ces dispositifs numériques supposent l'inscription numérisée à distance dans des registres locaux, régionaux et nationaux digitalisés, dont les pauvres pourraient être exclus. Non seulement parce que ces catégories de la population font partie de ces nouvelles générations d'analphabètes, mais aussi et surtout elles ne disposent tout simplement pas des conditions pour une utilisation équitable et maitrisée de ces dispositifs.

De ce fait, le numérique est devenu bel et bien un passage obligé et un facteur incontournable pour toute politique voulant que les pauvres puissent bénéficier d'un meilleur accès à leurs besoins et services essentiels. Aussi, les Etats-Nations, les organisations régionales et les institutions internationales dédiées à l'action sociale et à la solidarité doivent ériger le Droit au digital en un Droit humain fondamental et faire de la maitrise des technologies digitales par les populations pauvres et vulnérables un axe majeur de leurs nouvelles stratégies de développement social.

* *Conférence prononcée lors de la 59e Session de la Commission du développement social des Nations Unies, tenue à New York le 9 février 2021 sur le thème : la transition socialement juste orientée vers le développement durable : le rôle de la technologie digitale pour le développement social et le bien-être de tous.*

LA CULTURE,
RICHESSE FUTURE DES NATIONS

Depuis les quinze dernières années, la culture a émergé dans les débats publics. Elle est devenue un levier appelé au secours des nouveaux modèles de développement à bâtir, non seulement en tant source et ressource renouvelable de création de richesses nouvelles, mais aussi pour donner un sens à la fois au développement et à l'existence humaine. Aussi, la culture est-elle devenue une composante majeure dans la vie des sociétés et des économies du XXIe siècle.

La culture, un levier du capital sociétal des Nations

En effet, la culture traduit une évolution qualitative des systèmes actuels de satisfaction des besoins des citoyens, des entreprises et des territoires où les biens et les services de nature culturelle y occupent une place de plus en plus importante. Il s'agit en particulier des activités répondant à la satisfaction des besoins d'expression artistique et symbolique, tels que le livre et la lecture, la musique, le cinéma, le théâtre, les arts plastiques, les créations littéraires, culinaires, vestimentaires, et celles liées aux modes de construction du cadre bâti et du patrimoine dans toute sa diversité.

Il s'agit, également, des activités du tourisme culturel, des loisirs et des sports rentrant dans le cadre des différentes composantes du patrimoine culturel qui lui sont attenantes, comme l'économie du cheval, des Moussems, et des sports.

Il s'agit, enfin, de toutes les activités répondant aux besoins spirituels et religieux autour desquels s'organisent des activités productives, de construction de lieux de cultes, d'espaces de formation, de voyages, de pèlerinage, et de festivals divers en rapport avec le sacré, d'envergures locale, régionale, nationale et de plus en plus internationale.

Dès lors, la culture est devenue une sphère appropriée d'investissement, de création d'activités économiques nouvelles, d'opportunités d'emplois et d'innovation, amplifiée et diversifiée par les possibilités extraordinaires qu'offre la révolution numérique.

Par ailleurs, la culture se trouve aujourd'hui au cœur d'un processus de globalisation des échanges de biens et de services de nature culturelle, poussée par une mondialisation avancée ayant généré des interdépendances quasi irréversibles entre les économies et les sociétés, que ni les crises, ni les tensions, ni les conflits, ni même les guerres ne sont en mesure d'arrêter, du fait justement de cette révolution digitale et du réseautage collaboratif qu'elle impulse de façon continue et exponentielle.

Dans ce contexte, les biens et services culturels constituent les supports privilégiés des stratégies nationales et continentales de positionnement et d'homogénéisation des sociétés humaines autour de modes de consommation de biens d'expression culturelle, y compris dans leurs dimensions religieuses et spirituelles. De ce fait, les biens culturels, l'image culturelle, l'information et la communication culturelles, l'expression culturelle de la mémoire des nations, de leur Histoire et de leurs traits de civilisation deviennent des leviers essentiels des politiques d'influence, de domination, de fabrication des nouveaux outils de la dépendance, et in fine des facteurs redoutables de la compétition que se livrent les grandes nations, les groupements régionaux et les civilisations du Monde.

C'est cette dimension sociétale de la culture qui l'érige en pilier de la production du socle commun de valeurs partagées par la société, dans la construction de son identité nationale, ainsi que dans le renforcement du lien social et du vivre ensemble dans un pays donné à un moment donné de son Histoire.

Pour toutes ces raisons réunies, la culture devient au cœur de toute réflexion sur les nouveaux modèles de développement à bâtir pour les sociétés du XXIe siècle. Car, elle est seule à même d'apporter des réponses à une question cruciale qui taraude les citoyennes et les citoyens de par le monde qui est celle de la réalisation de l'équilibre nécessaire et de l'adéquation indispensable entre le genre, le sens et le niveau du développement que nous vouons pour nos sociétés. C'est pour cette raison profonde et dans cette perspective stratégique que la culture est et sera au cœur de la production future de la richesse des Nations.

La culture, puissant socle du capital immatériel des Nations

Partant de ces constats, les travaux empiriques sur l'évolution de la richesse des Nations réalisées pendant les dix dernières années montrent, en effet, que ce ne sont pas les actifs tangibles, c'est-à-dire le capital naturel et le capital produit, qui constituent la richesse des Nations, mais bel et bien leurs actifs immatériels, c'est-à-dire le capital humain, le capital social, le capital culturel, et le capital institutionnel.

De plus, il a été démontré que le capital immatériel a tendance à augmenter en proportion de la richesse totale des nations à mesure que le pays se développe et inversement. Ainsi, dans les pays de l'OCDE par exemple, le capital immatériel représenterait en moyenne plus de 80 % de la richesse des pays qui composent cette organisation. Dans les pays à revenus intermédiaires, la part du capital immatériel se situerait entre 50 et 70 %.

Au Maroc, selon l'étude réalisée en décembre 2016 par le Conseil Economique Social et Environnemental, en partenariat avec Bank Al Maghrib, suite à une saisine de Sa Majesté le Roi Mohammed VI en date du 30 juillet 2014, la valeur de la richesse globale de notre pays en prix courant a plus que doublé entre 1999 et 2013, période de référence de l'étude. Cette valeur est passée de 5 904 à 12,833 milliards de dirhams. Elle s'est appréciée en moyenne annuelle de 5 % durant cette période. Le principal facteur de cette croissance de la richesse nationale se situe au niveau du capital immatériel, et ce à raison de plus de 72 %. Ce qui place le Maroc dans un profil de pays à revenu élevé en termes de part du capital immatériel dans la richesse totale produite ; le capital produit et le capital naturel ne représentant respectivement que 24,1 % et 7, 3 %.

En d'autres termes, un pays riche le serait aujourd'hui principalement grâce à sa capacité à investir plus et mieux dans son capital immatériel à partir de la valorisation de quatre leviers majeurs :

i) Des ressources humaines de qualité, portées par un système approprié et performant d'éducation, de formation et d'innovation qui permettent à ces pays de produire des élites d'excellence, de former des compétences et de créer de l'intelligence et du génie ;

ii) Des institutions fortes basées sur la mise en place d'un écosystème national de gouvernance fondée sur les principes de la participation démocratique et responsable, de la concurrence juste et loyale, de la consécration par le droit de l'égalité des chances des entreprises, des citoyens et des territoires devant l'acte économique, de la promotion sociale par le mérite, la compétence et l'innovation, et de la gestion de la chose publique sur la base du respect des règles de suivi, d'évaluation, de contrôle et de reddition des comptes ;

iii) Un capital social solide, en particulier un système généralisé de protection sociale garantissant la réalisation des conditions de la pleine citoyenneté et un socle commun de valeurs renforçant la solidarité et la confiance des citoyens dans les institutions de leur pays ;

iv) Et un degré élevé de valorisation du capital culturel, résultat d'une volonté politique réelle, d'une vision claire et de politiques publiques appropriées visant à ériger la culture non seulement comme un droit humain fondamental, mais aussi et surtout en tant que levier du développement.

Ce dernier levier est d'une importance cruciale pour le développement futur des Nations, qu'il nécessite l'élaboration de véritables « Grands Contrats Nationaux pour la Culture ». Ces Grands Contrats doivent être élaborés de façon concertée avec tous les acteurs du champ culturel national à partir d'un bilan raisonné et d'un diagnostic partagé sans concessions sur l'état de la culture dans les pays considérés.

Ce sont ce bilan et ce diagnostic qui doivent être à la base de la mise en place de politiques publiques intégrées et transversales de la culture impliquant tous les secteurs concernés de l'éducation, à la santé, l'information, la communication, le patrimoine, le numérique, l'innovation, la jeunesse, et les sports. L'objectif de cette démarche est de prendre appui sur l'intelligence collective de toutes les composantes agissantes du champ de la culture des Nations en vue de les mobiliser autour de l'effort national de valorisation future de leur capital culturel.

**Contribution aux actes de la conférence organisée à Rabat le 14 avril 2022 par la Confrérie « Les Compagnons de Gutenberg » sur le thème « La culture, vecteur décisif du développement régional ».*

RÉFÉRENCES BIBLIOGRAPHIQUES

I. L'Afrique et le Monde nouveau

Le futur Africain de l'Europe

– Académie du Royaume du Maroc, 2015, l'*Afrique comme horizon de pensée, Actes de la 43e session*, décembre, Publications de l'ARM, Rabat

– Affaya Noureddine et Guerraoui Driss, 2019, *l'Afrique des paradoxes,* Éditons la Croisée des chemins-Casablanca et l'Harmattan-Paris

– Agence française de développement, 2021, *l'économie africaine en 2021,* Éditions la Découverte, Paris

– Bassou Abdelhak (Sous la direction de), 2020, *Rapport annuel sur l'économie de l'Afrique,* Policy Center for the New South Éditeur, Rabat

– Buchalet Jean-Luc et Christophe Prat, 2019, *Le futur de l'Europe se joue en Afrique,* Éditions Eyrolles, Paris

– Escribano Gonzalo, 2015, *Le Maroc et l'Espagne : vers une relation économique rénovée,* Elcano-Royal Institute et econostrum.info — l'actualité économique en méditerranée

– Diagne Souseymane Bachir et Jean-Loup Amselle, 2018, *Enquête d'Afrique, Universalisme et pensée décoloniale,* Éditions Albin Michel, Paris

– Fontaine Pascal, 2010, *12 leçons sur l'Europe, Commission Européenne,* Bruxelles

– Guerraoui Driss (Sous-direction), 2021, *Repenser l'Afrique au XXIe siècle*, Éditions Al Markaz Attakafi Lil Kitab, Beyrouth, Liban et Éditions l'Harmattan, Paris

– Guerraoui Driss, 2021, *Regards sur un Monde incertain, Changer ou régresser,* Éditions la croisée des chemins, Casablanca

– Brunel Sylvie, 2014, *l'Afrique est-elle bien partie ?*, Éditions Sciences humaines, Paris

– Commission économique pour l'Afrique, 2005, *Rapport économique sur l'Afrique* 2005, Addis-Abeba

– Groupe Nobil[, 1992, *Pour une nouvelle alliance Afrique-Europe,* Éditions Futuribles, Paris

– Guigou Jean-Louis et Beckouche Pierre, 2017, Éditions Nevicata, Bruxelles

– Hugon Philippe, 2016, *géopolitique de l'Afrique,* Éditions Armand Colin, collection 128, Paris

– Lugan Bernard, 2018, *Atlas de l'histoire de l'Afrique des origines à nos jours,* Éditions Rocher, Monaco

– Lopes Carlos, 2021, *L'Afrique et l'avenir du Monde, repenser le développement,* Éditions du Seuil, Paris

– Magrin Gérard, Alain Dubresson et Olivier Ninot, 2018, *Atlas de l'Afrique, un continent émergent ?* Éditions Autrement, Paris

– Mbembe Achille et Felwine Sarr (Dir), 2017, *Écrire l'Afrique Monde,* Éditions Jimsaan, Dakar

– M'hammdi Nezha Alaoui, Larabi Jaidi et Ivan Martin, 2020, *Le partenariat Afrique-Europe : quel renouveau dans l'après Covid-19*, Policy papier numéro de juillet, Policy Center for the New South Éditeur, Rabat

– Mills Greg, Jeffrey Herbst, Olusegun Obasanjo et Dickie Davis, 2017, *l'Afrique en marche*, Imprimerie United Litho, Johannesburg

– Mills Greg, Jeffrey Herbst, Olusegun Obasanjo et Dickie Davis, 2017, *Making Africa work,* C. Hurst (publishers Ltd, London

– Direction des Études et des Prévisions Financières, 2015, *Point sur les relations Maroc-Espagne : des échanges commerciaux croissants,* Ministère de l'Économie et des Finances, Rabat

– OFCE, 2021, *L'économie européenne en 2021,* Éditions la Découverte, Paris

– OCDE, 2021, *Statistiques de l'OCDE de la population active 2020*

– Ndlovu-Gatsheni Sabilo, 2013, *Coloniality and power in postcolonial Africa, myth of decolonisation,* CODESRIA, Dakar

– Nonjon Alain et Paulet Arnaud, 2015, *l'Afrique, nouvelle frontière du XXIe siècle,* Éditions Ellipses, Paris

– PNUD, *Rapport sur le développement humain* 2020

– Poreau Brice, 2017, *l'action de la CEDEAO régionalisme et prévention des conflits en Afrique*, Édition Harmattan, Paris

– Sall Alioune, 2003, *Afrique 2025 : quels futurs possibles pour l'Afrique au sud du Sahara ?* Éditions Karthala, Paris

– Stephen Smith, 2018, *la ruée vers l'Europe, la jeune Afrique en route pour le vieux continent,* Éditions Grasset, Paris

– Site Banque mondiale

– Thiong'o Wa Ngugi, 2011, *Décoloniser l'esprit,* Éditions la Fabrique, Paris

– United Nations, 2019, *World Population Prospects, Volume II: Demographic Profiles*

– United Nations, *The 2015 Revision, Population Division,* Department of Economic and Social Affairs, World population prospects

– Wihlol de Wenden Catherine, 2021, *Atlas des migrations*, de nouvelles solidarités à construire, Éditions Autrement, Paris

– *Le Traité de paix de 1774 entre Maroc et le Portugal,* Leçons pour l'avenir, Académie des Sciences du Portugal, Archives, Lisbonne

الجيلالي ضريف، معاهدة الصلح بين سيدي محمد بن عبد الله، سلطان المغرب و جوزيف الاول ، ملك البرتغال ، 12 رمضان 1187

– Guerraoui Driss (Dir), 2022, *Marocains et Portugais, Regards croisés,* Éditions l'Harmattan, Collection « Les Afriques de demain », Paris

– Houass Ilham, 2023, *Le Traité de Paix de 1774 entre le Portugal et le Maroc RevueLixus, Numéro 48 du mois de juillet,* pp98-104

– Kaddouri Abdelmajid, 2018, *Le Maroc et l'Europe du XV AU XVIIIe siècle : La Problématique du Décalage,* Éditions la croisée des chemins, Casablanca

– Laroui Abdellah, 1970, *L'histoire du Maghreb, Essai de Synthèse,* Éditions François Maspero, Paris

– عثمان المنصوري، 2010، « المغرب والبرتغال في مواجهة التحولات الدولية »، ضمن : المغرب والتحولات الدولية، أعمال ندوة تكريم الأستاذ عثمان المنصوري، منشورات كلية الآداب عين الشق، الدار البيضاء، ص. 22-19

– عثمان المنصوري، 2010، « اتفاقية السلم بين البرتغال والمغرب »، ترجمة مقال من البرتغالية لفرناندو دو كاشترو برانداو، ضمن : المغرب والتحولات الدولية، أعمال ندوة تكريم الأستاذ عثمان المنصوري، منشورات كلية الآداب عين الشق، تنسيق لطفي بوشنتوف، الدار البيضاء ، ص. 4-23

عثمان المنصوري، 2005، العلاقات المغربية البرتغالية 1844-1790، الجزء الاول والثاني، مطبعة فضالة

- عـثمان المنصـوري،2023، البرتغـال والمغـرب في القـرن 18 : حصـار مازاگاو الأخير. تأليـف ف.أ.أوليفـييرا مارتنـش. ترجمة
- عـثمان المنصـوري،2024، تاريخنـا المـشترك، مقـالات في تاريـخ المغـرب والبرتغـال» نشر دار الإحيـاء للـنشر والتوزيـع، طنجـة
- Jean-Baptiste Jeangéne Vilmer, 2024, *le réveil stratégique, Essai sur la guerre permanente*, Éditions du Seuil, Paris
- Von Kemnitz Eva -Maria, « *Le bicentenaire du traité de paix et d'amitié entre le Portugal et la Régence d'Alger (1813-2013), Les enjeux et les défis posés à la diplomation portugaise* », in http://www.algeriabase.net/article/ Le-bicentenaire — du-traité de paix et d'amitié- entre- le Portugal-et-la — Régence — d-Alger-1813-2013 — les — enjeux-et-les-défis posés-à-la — diplomation — portugaise-577.html.
- *Quel avenir pour le Maghreb dans une mondialisation régionalisée ?*
- Abdoulahi Mohamed, 2005, *Évaluation des efforts d'intégration régionale en Afrique en vue de promouvoir le commerce intra-africain*, Centre africain pour les politiques commerciales, Commission Économique pour l'Afrique, Dakar
- Banque Mondiale, site de la Banque Mondiale
- Conseil Économique Social et Environnemental, 2018, *l'intégration régionale du Maroc à l'Afrique : Pour une stratégie au service d'un développement durable avec l'Afrique*, Rabat
- Fonds Monétaire International, 2018, *l'intégration économique du Maghreb, une source de croissance inexploitée, n° 19/01,* Washington
- Forum de Mabako, 2020, *Quelle Afrique à l'horizon 2040*, 20-21 et 22 février Bamako

– Hugon Philippe, 2012, *L'Économie de l'Afrique*, Éditions La Découverte

– Institut Royal des Études Stratégiques, 2018, *Pour un développement autonome de l'Afrique*, Rapport stratégique, Rabat

– Ministère de l'Économie et des Finances, 2008, *Direction des études et des prévisions financières,* enjeux de l'intégration maghrébine « Le coût du non Maghreb », http://www. finances. gov.ma/depf/depf.htm, Rabat

– Policy Center for the New South, 2019, *Rapport annuel sur la géopolitique de l'Afrique,* Rabat

– Policy Center for the New South, 2020, *Maroc-Mauritanie : intérêts stratégiques communs*, Policy Brief, numéro de janvier, PB-20/03, Rabat

– Poreau Brice, 2017, *L'action de la CEDEAO, régionalisme et prévention des conflits en Afrique*, Éditions Harmattan

– Rapport sur le développement humain, 2019, *Programme des Nations Unies pour le Développement,* New York

– Sall Alioune, 2003, *Afrique 2025 : quels futurs possibles pour l'Afrique au sud du Sahara ?* Éditions Karthala

– Silem Ahmed, 2020, « *Les coûts du non Maghreb* », in Jean-Paul Chagnollaud et Xavier Richet (2020) : *Les frontières revisitées. Héritage, fragmentation, recomposition hiérarchies,* Éditions l'Harmattan

– World Economic Forum, *The global competitiveness,* Report 2018-2019

II. La nouvelle question sociale

Penser la jeunesse de la méditerranée dans un monde incertain

– Alternatives Economiques, 2020, *les jeunes sont-ils sacrifiés ?* numéro 398 de février, Paris

– Banque Mondiale, 2012, *Promouvoir les Opportunités et la Participation des Jeunes*, Région Moyen-Orient Afrique du Nord, Département du Développement Durable, Rabat

– Bourqia Rahma, Rachik Hassan, Ayadi Mohamed, 2001, *Les jeunes et les valeurs religieuses*, Éditions Eddif, Casablanca

– Conseil Economique Social et Environnemental, 2012, *L'inclusion des jeunes par la culture*, Rabat

– Chevalier Tom, 2018, *la jeunesse dans tous ses états,* Éditions PUF, Paris

– Cicchelli Vincenzo et Olivier Galland (sous la direction de), 2008, *Les nouvelles jeunesses,* Éditions La documentation Française, Paris

– Driss Guerraoui, 2001, *Les grands défis économiques de la Méditerranée,* Éditions Alif-Tunisie, Toubkal-Maroc, JacaBook-Italie et Edisud-France, Encyclopédie de la Méditerranée

– Driss Guerraoui et Noureddine Affaya, 2006, *Le Maroc des jeunes,* Éditions l'harmattan, Paris

– Driss Guerraoui et Noureddine Affaya, 2007, *L'Afrique vue par les jeunes,* Éditions l'harmattan, Paris

– Driss Guerraoui et Noureddine Affaya, 2010, *Les jeunes et l'engagement, désenchantement et espoir,* Éditions l'harmattan, Paris

– Driss Guerraoui et Noureddine Affaya, 2019, *L'Afrique des paradoxes, attitudes et regards des jeunes,* Éditions l'Harmattan-Paris et La Croisée des chemins-Casablanca

– Driss Guerraoui, 2021, *Regards sur un Monde incetain, Changer ou régresser,* Éditions la croisée des chemins, Casablanca

– Driss Guerraoui, 2022, *Être jeune aujourd'hui, Révoltes du présent et regards sur l'avenir,* Éditions la croisée des chemins, Casablanca

– Organisation des Nations Unies, 2020, *Tendances et perspectives démographiques en Méditerranée,* Les notes du Plan Bleu, numéro d'octobre

Femmes, développement et production des valeurs

– Alternatives Economiques, 2011, *Le temps des femmes,* Numéro Hors-série poche 51, Paris

– Banque Mondiale, 2003, Genre et développement économique, Éditions Horizons, Saint Martin et Banque Mondiale, Washington

– Conseil Economique, Social et Environnemental, 2012, *Pour une Nouvelle Charte Sociale, des normes à respecter et des objectifs à contractualiser,* Auto-saisine n° 1/2011, Rabat

– Conseil Economique, Social et Environnemental, 2015, *La rencontre nationale sur « la culture de la non -violence à l'égard des femmes, vision prospective »,* La Journée mondiale de la Femme du 8 mars, Rabat

– Direction de la statistique, 1992, *Femmes et développement,* CERED, Rabat

– L'Économiste, 2024, *Les femmes à la conquête de l'égalité,* Numéro 6 de mars-avril, Casablanca

– Guerraoui Driss (Dir), 2001, *Femmes fonctionnaires du Maroc, Éditions l'Harmattan-Paris* et Éditions Toubkal-Casablanca

– Guerraoui Driss, 2000, Famille et développement à Fès, in *Femmes Culture et Société au Maghreb* (Sous la direction de Rahma Bourqia et Alii), Éditions Afrique Orient, Casablanca

– Haut-Commissariat au Plan, 2023, *La femme marocaine en chiffres,* Rabat

– Informations et Commentaires, 1995, *Les femmes dans la mondialement,* numéro 93, des mois d'octobre novembre et décembre, Lyon

– Ministère de la Solidarité, de la Femme, de la Famille et du Développement Social, 2014, *Rapport National du Royaume du Maroc, Évaluation du Plan d'action Pékin plus 20 (2009 - 2014),* Rabat

– ONU Femmes, 2024, *Communiqué de presse à l'occasion de la journée mondiale de femme,* New York

– Problèmes Économiques, 2014, *Femmes, quelle place dans l'économie ?* numéro 3086 de mars, La Documentation Française Paris

– Secrétariat Général du Gouvernement, *La Constitution,* Édition 2011, Série « *Documentation Juridique Marocaine* », Rabat

– Strober H Myra, 1995, *La pensée féministe peut-elle faire progresser la science économique,* in « *Problèmes Economiques* », numéro2 du 3 mai, La Documentation Française, Paris

– UNIFEM, 2008, Qui est responsable envers les femmes, Genre et redevabilité, UNIFEM, New York

III. Démocratie, culture et développement

L'écosystème démocratique à l'épreuve du temps

Breton Philippe, 2006, *L'incompétence démocratique*, Éditions la Découverte, Paris

– Georges Susan, 2012, *Cette fois, en finir avec la démocratie,* Le rapport Lugano II, Éditions du Seuil, Paris

– Lindberg Staffan Ingemar, 2024, « *La situation de la démocratie est pire que celle des années 30* », Le Monde numéro du 22 et 23 décembre, Paris

– Le Courrier international, 2021, *Le Coup d'État numérique,* numéro hors-série avril-mai, Paris

– Le Monde, 2009, *Réinventer la démocratie,* numéro spécial du 8,9 et 10 mai, Paris

– Miché Jean-Claude, 2008, *la double pensée, retour sur la question libérale,* Édition Flammarion, Paris

– Mounk Yascha, 2018, *Le peuple contre la démocratie,* Éditions de l'Observatoire, Paris

– Namer Gérard, 2003, *Le contretemps démocratique,* Éditions l'Harmattan, Collection Ouverture philosophique, Paris

– Revue Diplomatie, 2025, « *La démocratie en crise* », numéro de décembre 2024 et janvier 2025, Paris

– Rosanvallon Pierre, 1998, *Le peuple introuvable*, Éditions Gallimard, Collection Folio histoire, Paris

– Rosanvallon Pierre, 2000, *La démocratie inachevée*, Éditions Gallimard, Collection Folio histoire, Paris

– Rosanvallon Pierre, 2008, *La légitimité démocratique*, Éditions du Seuil, Paris

– Sen Amartya, 2003, *La démocratie des autres,* Éditions Manuel Payot, Paris

- Schnapper Dominique, 2002, *La démocratie providentielle,* Éditions Gallimard, Collection Folio histoire, Paris
- Slobodian Quin, 2025, *Le capitalisme de l'apocalypse, ou le rêve d'un monde sans démocratie,* Éditions du Seuil, Paris
- Zuboff Shochana, 2022, *L'âge du capitalisme de surveillance,* Zulma Éditeur, Paris

- عبد الاله بالقزيز، 2013، الدولة والسلطة والشرعية، منتدى المعارف، بيروت
- عبد الاله بالقزيز، في الديمقراطية والمجتمع المدني مراثي الواقع، مدائح الأسطورة، أفريقيا الشرق، الدار البيضاء،2001
- محمد نور الدين أفاية، الديمقراطية المنقوصة، في ممكنات الخروج من التسلطية وعوائقه، منتدى المعارف، بيروة ،2011
- محمد نور الدين أفاية، النهضة المعلقة، المركز الثقافي للكتاب، الدار البيضاء، 2020

DU MÊME AUTEUR

Ouvrages :

- *Agriculture et Développement au Maroc*, 1985, Éditions Publisud, Paris, les paysans, quel avenir?, 1986, Éditions Maghrénines, Casablanca,
- *Enjeux agricoles*, 1991, Éditions le Fennec, Casablanca (avec Najib Akesbi),
- الاقتصاد المغربي : التحولات والرهانات، 1996، دار توبقال للنشر، الدار البيضاء
- المغرب والمستقبل : تأملات في الاقتصاد والمجتمع، 1999، منشورات جمعية الدراسات والأبحاث للتنمية، الرباط
- *Initiation pratique à recherche,* 1991, Éditions Toubkal, *Casablanca les Grands défis économiques de la Méditerranée,* version italienne en 1998, Edions Jaka Book, Milan, version espagnole en 1999, Éditions du CIDOB, Barcelone, version française en 2000, Edisud, Aix-en-Provence, version arabe en 2001, Éditions Alif, Tunis, *L'intelligence économique, problèmes et interrogations*, 2005, Publication de l'AERED, Rabat (en arabe), *L'image de l'Espagne au Maroc, enquête et témoignages,* 2005, Publications de l'ARCI, Rabat (avec N. Affaya), *Le Maroc et le Monde dans les perceptions des jeunes*, 2004, Publication de l'ARCI, Rabat

– *L'image du Maroc auprès des jeunes du monde*, 2004, Publication de l'ARCI, Rabat

– *Le Maroc des jeunes,* 2006, Éditions l'harmattan, Paris (avec N.Affaya),

– *L'Afrique vue par les jeunes*, 2007, Éditions l'harmattan, Paris (avec N.Affaya),

– *L'élite économique marocaine*, étude sur la nouvelle génération d'entrepreneurs, 2009, Éditions l'Harmattan, Paris (avec N.Affaya),

– *Les jeunes et l'engagement*, désenchantement et espoir, 2010, Éditions l'Harmattan, Paris (avec N.Affaya),

– إشكالية التشغيل، مقاربات وتوجهات، 2014، منشورات جمعية الدراسات والأبحاث للتنمية، الرباط

– *Économie et sociétés du XXIe siècle,* 2016, Éditions la croisée des chemins, Casablanca

– التنمية، نهاية نموذج؟، 2018، المركز الثقافي للكتاب، بيروت، لبنان

– *L'Afrique des paradoxes, attitudes et regards des jeunes,* 2019, Éditions le Harmattan-Paris et La Croisée des Chemins, Casablanca (avec N.Affaya),

– عبد الرحمن اليوسفي، دروس للتاريخ، 2020، المركز الثقافي للكتاب، بيروت، لبنان

– *Regards sur un Monde incertain,* changer ou régresser, 2021, Éditions la croisée des chemins, Casablanca

– *Être jeune aujourd'hui,* révoltes du présent et regards sur l'avenir, 2022, Éditions la croisée des chemins, Casablanca (Version Française),

– *Abderrahmane Youssoufi, Leçons pour l'Histoire* (Version française), 2023. Éditions Al Markaz Attakafi Lil Kitab, Beyrouth, Liban

– أن تكون شابًا اليوم، ثورات الحاضر وتطلعات المستقبل، 2023، منشورات -ملتقى الطرق، الدار البيضاء

– *L'enseignement et la recherche en sciences économiques dans les Universités publiques Marocaines,* 2024, Éditions l'Harmattan, Collection» les Afriques de demain» et Publications de l'Université Ouverte de Dakhla

– العالم الجديد وسؤال التنمية، 2025، منشورات ملتقى الطرق، الدار البيضاء

Ouvrages sous direction :

– *Ajustement et développement, en Afrique Subsaharienne, au Maghreb et en Europe,* 1994, Éditions l'Harmattan-Paris et Éditions Toubkal-Casablanca

– *Stratégies de privatisation, comparaison Maghreb-Europe,* 1996, Éditions l'Harmattan-Paris et Éditions Toubkal-Casablanca

– *Les investissements directs étrangers, facteurs d'attractivité et de localisation, comparaison Maghreb-Europe-Asie,* 1997,

– Éditions l'Harmattan-Paris et Éditions Toubkal-Casablanca

– *Les zones méditerranéennes défavorisées,* 1998, Éditions l'Harmattan-Paris et Éditions Toubkal-Casablanca

– *Le devenir du service public,* 1999, Éditions l'Harmattan, Paris

– *Économies émergentes et politiques de promotion de la PME,* 2000, Éditions l'Harmattan-Paris et Éditions Toubkal-Casablanca

– *Femmes fonctionnaires du Maroc,* 2001, Éditions l'Harmattan-Paris et Éditions Toubkal-Casablanca

– *Intelligence économique et veille stratégique, défis et stratégies pour les économies émergentes,* 2005, Éditions l'Harmattan-Paris Publications de l'AERED, Rabat

- *Compétitivité et accumulation de compétences dans la mondialisation*, comparaisons internationales, 2009, Éditions l'Harmattan, Paris
- *Intelligence territoriale et développement régional par l'entreprise, expériences internationales comparées,* 2011, Éditions l'Harmattan, Paris et Publications de l'AERED, Rabat
- *La protection sociale dans le Monde Arabe,* 2012, Publications de l'AERED, Rabat

- التحولات الاجتماعية في العالم العربي، 2013، منشورات جمعية الدراسات والأبحاث للتنمية، الرباط

- الحوار المدني في العالم العربي، 2014، منشورات جمعية الدراسات والأبحاث للتنمية، الرباط

- *Intégrations régionales et prospectives des territoires, comparaisons internationales,* 2014, Éditions l'Harmattan-Paris, Publications de l'AERED-Rabat et de l'AIFIE-Paris

- التماسك الاجتماعي في العالم العربي، 2015، منشورات جمعية الدراسات والأبحاث للتنمية، الرباط

- الرأسمال الثقافي في الأقاليم الجنوبية المغربية، 2015، منشورات جمعية الدراسات والأبحاث للتنمية، الرباط

- *Les jeunes et le développement durable,* quelle contribution ?, 2017, Publications de l'Université Ouverte de Dakhla (en arabe, français et anglais),
- *Les nouveaux territoires économiques*, acteurs et facteurs de l'émergence, comparaisons internationales, 2017, Éditions l'Harmattan, Paris et La Croisée des Chemins, Casablanca
- *La Nouvelle Économie Mondiale, comparaisons internationales,* 2018, Éditions l'Harmattan, Paris et La Croisées des Chemins, Casablanca (avec Xavier Richet et Philippe Clerc),

– *L'Intelligence économique en Afrique, Expériences nationales et partenariats africains,* 2019, Publications de l'Université Ouverte de Dakhla, Éditions l'Harmattan-Paris (version Française)

– *L'Intelligence économique en Afrique, Expériences nationales et partenariats africains,* 2020, Publications de l'Université Ouverte de Dakhla, Éditions l'Harmattan, Paris (version anglaise)

– *Prospective et dynamiques des territoires en Afrique,* 2020, Publications de l'Université Ouverte de Dakhla, Éditions l'Harmattan, Paris

– *Repenser l'Afrique au XXI*^e^ *siècle,* 2022, Éditions Al Markaz Attakafi Lil Kitab, Beyrouth-Liban et Casablanca, Maroc

– *Marocains et Portugais, Regards croisés,* 2022, Éditions l'Harmattan, Collection « les Afriques de demain », Paris

– *L'Afrique de l'innovation, Politiques nationales et partenariats panafricains,* 2023, Éditions l'Harmattan, Collection « les Afriques de demain »,

– *L'intelligence économique en Afrique et dans le Monde, État des lieux et champs nouveaux,* 2024, Éditions l'Harmattan, Collection « les Afriques de demain » et Publications de l'Université Ouverte de Dakhla.

TABLE DES MATIÈRES

II
LA NOUVELLE QUESTION SOCIALE

III
DÉMOCRATIE, CULTURE ET DÉVELOPPEMENT

Structures éditoriales du groupe L'Harmattan

L'Harmattan Italie
Via degli Artisti, 15
10124 Torino
harmattan.italia@gmail.com

L'Harmattan Hongrie
Kossuth l. u. 14-16.
1053 Budapest
harmattan@harmattan.hu

L'Harmattan Sénégal
10 VDN SICAP AMITIE 3
BP 45034 Dakar-Fann
direction@senharmattan.com

L'Harmattan Cameroun
singa/Derrière polyclinique FECAFOOT
BP 11486 Yaoundé
Jacques.koukam@harmattan.fr

L'Harmattan Burkina Faso
Villa 281, secteur 23 623, rue 14.32
Ouagadougou
zagbie@outlook.fr

L'Harmattan Guinée
Almamya, rue KA 028 OKB Agency
BP 3470 Conakry
harmattanguinee@yahoo.fr

L'Harmattan RDC
185, avenue Nyangwe
Commune de Lingwala – Kinshasa
matangilamusadila@yahoo.fr

L'Harmattan Congo
219, avenue Nelson Mandela
BP 2874 Brazzaville
deunovmikhael@gmail.com

L'Harmattan Mali
Immeuble Mgr Jean Marie Cissé
Aci Hamadallaye
BP 145 Bamako
syllaka@yahoo.fr

L'Harmattan Togo
Djidjole – Maison Amela
face EPP BATOME
02 BP 20680 Lomé
didieramela11@gmail.com

L'Harmattan Côte d'Ivoire
Résidence Karl – Cité des Arts
Abidjan-Cocody
03 BP 1588 Abidjan
harmattan.ivoire@gmail.com

L'Harmattan Bénin
Rue 604, (Immeuble à l'entrée
de la rue UCAO- Cite de Saint-Jean)
Cotonou
stepcorpus@gmail.com

Nos librairies en France

Librairie internationale
16, rue des Écoles
75005 Paris
librairie.internationale@harmattan.fr
01 40 46 79 11
www.librairieharmattan.com

Librairie des savoirs
21, rue des Écoles
75005 Paris
librairie.sh@harmattan.fr
01 46 34 13 71
www.librairieharmattansh.com

www.ingramcontent.com/pod-product-compliance
Lightning Source LLC
LaVergne TN
LVHW010918061026
849535LV00007B/2129

* 9 7 8 2 3 3 6 5 5 8 9 3 6 *